W9-BYI-404
40 °E
60 °E
80 °E
100 °E
120 °E
140 °E
160 °E
80 °N
60 °N
40 °N
20 °N
0°
20 °S
40 °S
60 °S
80 °S
Asie
CHINE
JAPON
Afrique
Océan Indien
Océan Pacifique
Australie
Antarctique
La Grande Charte (1215)
Marco Polo atteint Beijing (1278)
La peste noire (1347–1348)
Révolte des paysans (1381)
Les contes de Cantorbéry (écrits en 1400)
1300
1400
Henri III
Édouard Ier
Édouard II
Édouard III
Richard II

Mary Nelson

5 4 3 2 1
Imprimé et relié au Canada

Les Éditions Duval, Inc.
18228, 102e avenue
Edmonton (Alberta) Canada T5S 1S7
Téléphone : (780) 488-1390
1-800-267-6187
Télécopie : (780) 482-7213
Courriel : 3jp@compuserve.com
Site Web : http://www.editionsduval.com

Publié en premier lieu en anglais sous le titre *Medieval Times* par Mary Nelson © 2002 Duval House Publishing.

Auteure
Mary Nelson

Catalogage avant publication de la Bibliothèque nationale du Canada
Nelson, Mary, 1937-
L'époque médiévale / Mary Nelson.

Comprend un index.
Traduction de: Medieval times.
ISBN 1-55220-209-7

1. Civilisation médiévale—Ouvrages pour la jeunesse.
I. Titre.
D118.N4414 2003 j940.1 C2003-910436-2

Équipe de l'édition française
Direction : Jean Poulin

Traduction et adaptation : ARTranslation Inc., Annie Robberecht, trad. a. (Canada)

Correction d'épreuves : Lise Morin, Shauna Babiuk

Conception graphique (couverture et texte) : Obsidian Multimedia, Claudia Bordeleau

Cartes et illustrations : Johnson Cartographics Inc., Wendy Johnson; Claudia Bordeleau, Lorna Bennett, Chao Yu et Jue Wang, Don Hight

Distribution
Grace Fung
Said Hamdon
Adrian Osman
Katy Wilfong-Pritchard

Validation

Vérification pédagogique
Dolores Cascone, enseignante
Toronto District School Board
Toronto (Ontario)

Sandee Elliott, enseignante
Muirhead Elementary School
Toronto (Ontario)

Patricia Elliott, B.Ed., M.A., enseignante-ressource
Simcoe County District School Board
Midhurst (Ontario)

Vérification anti-préjugés
Kennard Ramphal
Scarborough Centre for Alternative Studies
Toronto District School Board
Scarborough (Ontario)

Vérification historique
Margot Mortensen, MA
Département des Sciences humaines
Grant MacEwan Community College
Edmonton (Alberta)

Le manuel invite les élèves à visiter divers sites Web. Compte tenu de la nature changeante des sites, la Rédaction ne peut garantir l'accès aux sites indiqués et décline toute responsabilité quant à leur contenu.

Nous reconnaissons l'aide financière du gouvernement du Canada par l'entremise du Programme d'aide au développement de l'industrie de l'édition (PADIÉ) pour nos activités d'édition.

Canada

Remerciements

L'auteure exprime sa gratitude aux nombreuses personnes qui ont participé à la réalisation de ce manuel. Merci à Karen Iversen des Éditions Duval, qui m'a donné la possibilité de vivre cette expérience passionnante. Sans sa vision, son savoir et ses encouragements, notre projet n'aurait pas vu le jour. Merci à Betty Gibbs pour ses heures de révision et sa généreuse collaboration; à David Strand, qui a su dénicher les sources des œuvres d'art médiévales qui figurent dans le manuel. Merci à Claudia Bordeleau pour son travail de conception graphique; à Chao Yu, Jue Wang, Lorna Bennett et Don Hight qui ont su illustrer le texte avec talent et lui donner vie. Les cartes de Wendy Johnson contribuent clairement et agréablement à la représentation de l'Histoire. Je tiens à remercier les élèves, le photographe et tous les autres participants. Grâce à vous, je mesure désormais toute la complexité d'un projet comme celui-ci. Merci au personnel de la bibliothèque municipale de Calgary et plus particulièrement à celui de la succursale Louise Riley, qui m'ont aidée à poursuivre mon travail et ont autorisé le renouvellement incessant des ouvrages empruntés. Merci à ma famille : Gordon, Craig et Daniel, Laura, Bernie et Clara; et à mes amis pour leur patience et leur indéfectible soutien durant toutes les étapes du projet.

Références photographiques

Nous nous sommes efforcés d'indiquer toutes nos sources. Merci de nous signaler toute erreur ou omission. Toutes les images sont protégées par la *Loi sur le droit d'auteur* et sont reproduites avec la permission des auteurs respectifs (voir ci-dessous).

Légende

(h) = haut (d) = droite (g) = gauche (b) = bas (m) = milieu

Couverture : copyright SONIA HALLIDAY & LAURA LUSHINGTON **9** (h) © English Heritage Photo Library (b) © English Heritage Photo Library, illustration par Peter Dunn **10** (b) © The Salariya Book Company Ltd. **13** (md) avec la permission du château de Hedingham **14** (hd, mg) copyright SONIA HALLIDAY PHOTOGRAPHS, photos par F.H.C. Birch (bd) photo par Thu Data, Norvège **15** (md) Corel (bg) illustration de *The Middle Ages*, éd. W.C. Jordan. Reproduite avec la permission de Grolier Publishing **16** Christopher Culpin/ Collins Educational **17** Corel **21** (hd) avec l'aimable autorisation du Museum of London **23** (hd, mg, bg) © Blaine Andrusek/ Blaine@BlaineAndrusek.com **25** (h) © SONIA HALLIDAY PHOTOGRAPHS avec la permission du Victoria and Albert Museum (mg) avec la permission de la British Library (md) avec la permission de la British Library, Harl 4751 f23 (b) avec la permission de la British Library, Add 42130 f173 min, f172v det **28** (bg) avec l'aimable autorisation du Public Record Office, UK (bd) copyright SONIA HALLIDAY PHOTOGRAPHS **33** (bd) Commission de la capitale nationale/National Capital Commission **38** illustration tirée de CASTLES, par Philip Steele, reproduite avec la permission de l'éditeur. Copyright © Kingfisher Publications Plc 1995. Tous droits réservés. **39** (bg) 391-5763 Christopher Rennie/robertharding.com **42** illustration tirée de CASTLES, par Philip Steele, reproduite avec la permission de l'éditeur. Copyright © Kingfisher Publications Plc 1995. Tous droits réservés. **43** (hg) © English Heritage Photo Library, photo par Jeremy Richards (bg) © English Heritage Photo Library, photo par Paul Highnam **44** copyright SONIA HALLIDAY PHOTOGRAPHS, photo par F.H.C. Birch **49** (md) Jonathan L. Murphy, armlann.com **55** (bg, bd) © The Board of Trustees of the Royal Armouries/ TB21/11.194 **56** (b) Heritage-Images/©The British Library **58** (hd) Corel (bg) © copyright The British Museum **60** (mg) © copyright The British Museum (hd) avec l'aimable autorisation du Museum of London (d) avec la permission de la British Library, Roy.18.D.II. f148 det **63** (md) © Corporation of London Records Office, CH10 **65** (hg) Heritage-Images/©The British Library (md) Corbis, #ADE040 **66** avec la permission de The Reader's Digest Association Limited, Everyday Life Through the Ages © 1992. Artiste Richard Bonson **68** (bg) copyright SONIA HALLIDAY PHOTOGRAPHS, photo par Jane Taylor (md) copyright SONIA HALLIDAY PHOTOGRAPHS **69** (mg) Johnathan Smith/Sylvia Cordaiy Photo Library (bd, md) copyright SONIA HALLIDAY PHOTOGRAPHS **70** (h) copyright SONIA HALLIDAY & LAURA LUSHINGTON **72** (mg) Jill Swainson/Sylvia Cordaiy Photo Library **78** (md) avec la permission de la British Library, Add 42130 f61 det **79** (hg, bd) © English Heritage Photo Library (hd) © English Heritage Photo Library, photo par Paul Highnam (md) York Archaeological Trust for Excavation and Research Ltd., Angleterre (bg) avec l'aimable autorisation du Museum of London **80** (md) Heritage-Images/©The British Museum **83** Chris North/Sylvia Cordaiy Photo Library **86** (bg) copyright SONIA HALLIDAY PHOTOGRAPHS (d) avec l'aimable autorisation de The University of Western Ontario **91** (h) avec la permission de la British Library, Cott. Faust. B. Vii f72v **92** (g) The Master and Fellows of Corpus Christi College, Cambridge (d) avec la permission de la British Library, Cott. Nero.d.iv. F61v.det **94** (bg) AKG London/Jean-François Amelot **103** (hd) avec la permission de la British Library, D.D.12 **104** avec la permission de la British Library **106** Crown ©/The Royal Collection © 2002, Sa Majesté la reine Elizabeth II **109** (h) avec la permission de la British Library, Cott. Claud. D11 f116 min (b) Heritage-Images/©The British Library **110** V&A Picture Library **113** (toutes) Avec l'aimable autorisation du Ministère du Tourisme Israélien **114** Zulficar Sattaur, I-Media Group Inc. **116** (bg) 1-18153 robertharding.com **122** Heritage-Images/©The British Museum **125** (b) © Keith Brofsky/PhotoDisc/Getty Images; certaines ressources (p. 28 et 72) sont tirées de *Discovering the Past: Medieval Realms*, par Colin Shephard, publié par John Murray; certains éléments de la page 80 proviennent des *Plantagenet Chronicles*, éd. Elizabeth Hallam Smith, publié par Tiger Books/Colour Library Books; **109** (hg) Musée virtuel du Canada, www.museevirtuel.ca/ Exhibitions/Noel/franc/fous.htm (mg) le Théâtre de la Source, www.theatredelasource.qc.ca/pages/befana/nicolas.html

Note à l'élève

Tu as sans doute entendu parler du Moyen Âge ou de l'époque médiévale. Il y a beaucoup d'histoires, de films et même de jeux vidéo au sujet des chevaliers, des châteaux, des seigneurs et des dames. Pourtant, il y a encore beaucoup à apprendre sur cette période de l'histoire.

Les gens pouvaient mener des vies très différentes au Moyen Âge. Le manuel décrit d'abord le village médiéval typique, la vie des paysans et des artisans. Ensuite, il présente le château médiéval, le mode de vie d'une famille noble et des autres personnes qui habitaient au château. Puis, il t'invite à découvrir la ville et sa population, avant de parler des dirigeants et des courtisans.

Autrefois, la religion jouait un rôle important. Le manuel examine le christianisme et l'islam au Moyen Âge et leur empreinte sur notre monde moderne.

Notre mode de vie est fondé sur le passé – ce qui nous vient des siècles précédents. Cet héritage est parfois surprenant. Le manuel en parle dans les encadrés « Notre héritage » et « L'héritage anglo-normand ».

Les rubriques « Ailleurs... » donnent un aperçu de la vie dans le reste du monde à cette même époque.

En plus du texte, L'époque médiévale contient de nombreuses sources qui facilitent l'apprentissage : illustrations, photos, cartes, tableaux, graphiques et récits. Le glossaire définit le vocabulaire nouveau (pages 135–138). L'index permet aussi de trouver rapidement les sujets traités dans le manuel. Pour mieux situer les lieux que tu étudies, n'oublie pas de consulter les cartes imprimées sur les couvertures intérieures avant et arrière.

Tout au long de cette étude, tu auras l'occasion de travailler sur un projet médiéval qui te permettra d'apprendre tout en t'amusant.

Au fil des chapitres, quatre jeunes Canadiens t'invitent à perfectionner tes habiletés et à participer à des activités pratiques. J'espère que tu feras un voyage agréable dans l'histoire en leur compagnie!

Table des matières

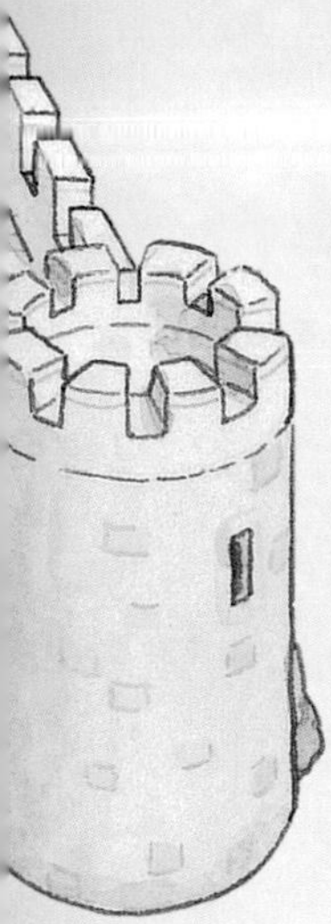

L'époque médiévale

L'**époque médiévale** – le **Moyen Âge** – est une époque historique passionnante. On y parle de châteaux, de rois, de reines, de chevaliers, de dames et de seigneurs; de paysans, d'aubergistes, de religieux et de religieuses. Ensemble, prenons ce chemin et découvrons le village, le château, la ville et le royaume du Moyen Âge. Ensuite, nous traverserons des océans et des continents pour en savoir plus sur l'islam, les croisades, le commerce et une terrible maladie : la peste.

Projet sur le Moyen Âge

Création d'un jeu de table

L'époque médiévale contient beaucoup d'idées et d'informations. Vous utiliserez ces nouvelles connaissances et votre imagination pour créer un jeu de table sur le Moyen Âge.

La classe sera divisée en groupes de 4 ou 5 élèves. Chaque groupe devra inventer et fabriquer un vrai jeu, qu'il exposera et dont il fera la démonstration.

1. Chaque groupe doit ouvrir un dossier pour organiser et ranger son travail. Choisissez un nom pour votre groupe. Écrivez ce nom et la liste des membres du groupe sur la couverture de votre dossier. Trouvez un endroit où vous le rangerez soigneusement.

Au fil des chapitres, vous allez recueillir des idées, les organiser et créer votre jeu. Tout au long du manuel, vous trouverez des rappels et des suggestions qui vous aideront à terminer votre projet avec succès.

Je fais des prévisions d'après les images

Les illustrations d'un livre servent à montrer et à expliquer le texte. En examinant soigneusement les images (dessins et photos), on peut donc deviner ce qui est écrit ou faire des prévisions sur le contenu. Cet exercice facilite l'apprentissage. Examine les images des pages 2 et 3, par exemple, pour trouver des indices sur le texte.

1. Crée un tableau pour relever tes prévisions.

Sujet :		
Ce que je vais apprendre, à mon avis	Les détails qui justifient mes prévisions	Ce que j'ai découvert
TABLEAU MODÈLE		
Les détails que je ne comprends pas		

2. Examine l'ensemble de l'image. Demande-toi :
   - Où se passe la scène? Dans quel environnement?
   - Quand? Autrefois, aujourd'hui ou dans l'avenir?
3. Examine les activités et les détails de l'image. Demande-toi :
   - Qui sont les personnages? Que font-ils? Que peut-on deviner d'après leurs vêtements?
   - Comment se conduisent-ils les uns avec les autres?
   - Que se passe-t-il?
   - Que peut-on savoir sur la technologie (les outils et les méthodes)?
4. Écris tes prévisions (ce que tu penses que tu apprendras) dans la première colonne du tableau.
5. Dans la seconde colonne, relève les détails de l'image qui justifient tes prévisions.
6. Relève tous les détails que tu ne comprends pas sous le tableau.
7. Quand tu auras fini de lire le texte, écris ce que tu as appris dans la colonne de droite. Compare-la à tes prévisions.

Faire ◊ Discuter ◊ Découvrir

1. Examine l'image, pages 2 et 3. Suis les étapes ci-dessous pour anticiper le contenu du manuel.
   a) Écris tes prévisions (avec les détails à l'appui) et indique les détails que tu ne peux pas expliquer.
   b) Range ce tableau dans ton cahier. Tu le consulteras de nouveau à la fin du chapitre 10 pour confirmer ou corriger tes prévisions.

Étudier l'histoire

L'histoire est l'étude des gens et des événements du passé. Le manuel couvre une époque de quatre siècles : de 1000 à 1400 de notre ère. Il s'intéresse surtout à l'Angleterre et à la période anglo-normande; mais nous parlerons aussi d'autres personnages et événements historiques, ailleurs dans le monde.

Les cartes du manuel permettent de situer les régions étudiées. Il y a aussi des grandes cartes sur les couvertures intérieures avant et arrière. Ces cartes montrent les liens entre divers pays.

La période anglo-normande commence avec la conquête de l'Angleterre par Guillaume de Normandie (1066). L'anglo-normand est la variété de français parlée et écrite en Angleterre du XIIe au XIVe siècle inclus. Elle vient s'ajouter au latin et à l'anglais.

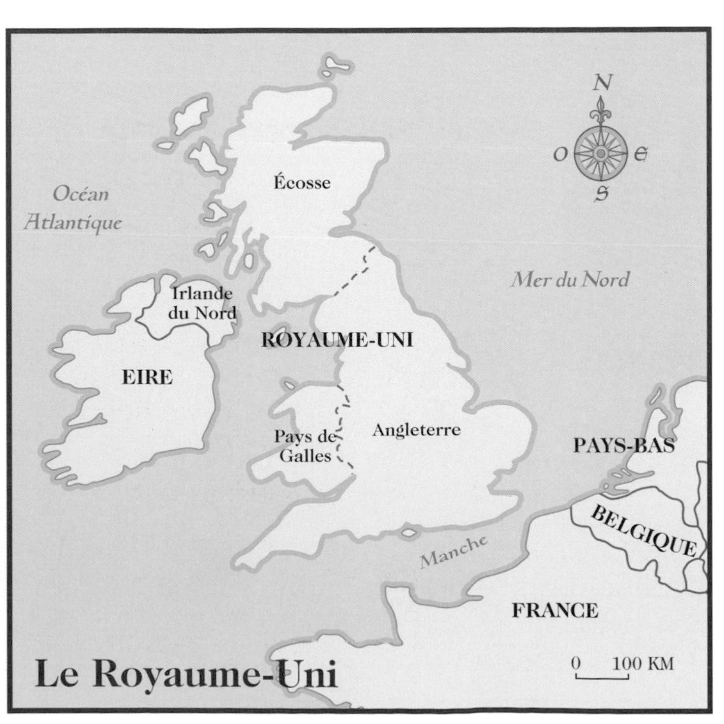

Étudier la société

La **société** est l'ensemble de tous les gens qui vivent à un même endroit à une certaine époque. Les historiens étudient les groupes qui composent la société. Ces groupes peuvent être comparés de différentes façons. Par exemple, d'après :

- leur manière de répondre aux besoins essentiels (logement, aliments, vêtements, santé);
- les rôles et les métiers de leurs membres;
- la technologie (outils, armes, façons de résoudre les problèmes);
- leur importance, leur richesse et (ou) leur pouvoir;
- les droits et les responsabilités de leurs membres;
- la manière dont ils sont organisés et gouvernés;
- leurs religions et leurs croyances.

Dans ce manuel, tu étudieras les groupes qui vivaient au Moyen Âge. La liste ci-dessus t'aidera à les comparer.

Cette carte moderne montre le Royaume-Uni et quelques pays voisins. Certains existaient déjà au Moyen Âge. Mais, en général, les frontières ont changé au fil du temps. Pour voir les frontières à l'époque du Moyen Âge, consulte la carte imprimée sur la page de gauche de la couverture intérieure arrière.

La société médiévale

Dans la société médiévale, chaque groupe a une place ou un rang particulier – d'après sa puissance, ses richesses et les terres qu'il contrôle. Le roi est le plus puissant de tous. Ensuite, il y a les **nobles**, c'est-à-dire les seigneurs et leurs familles.

Les nobles sont les vassaux du roi ou d'autres nobles. Le **vassal** est une personne liée à un seigneur par un serment de fidélité. Le vassal doit aussi rendre certains services et payer des impôts au seigneur. En retour, le vassal a le contrôle de certaines terres et le revenu qu'elles produisent.

Le roi gouverne le pays entier. Les nobles le soutiennent et lui versent des impôts.

On dit un vassal, des vassaux; une vassale, des vassales.

La haute noblesse et le haut clergé contrôlent la plupart des terres du pays. Ces terres sont appelées **manoirs** en Angleterre (seigneuries en France). Ce terme désigne l'ensemble des terres et la demeure du seigneur. La plupart des nobles sont aussi **chevaliers** et vassaux du roi.

Dans le manuel, l'**Église** signifie l'Église catholique.

Les nobles moins puissants (la petite noblesse) et les chevaliers ont reçu des terres en échange de leur loyauté et de leur soutien. Ils ont promis de fournir des soldats et de l'argent à la demande du roi.

Puis, il y a les **personnes libres** : des artisans qui reçoivent un salaire ou des paysans qui louent leurs terres et qui payent des taxes au seigneur. Ils sont libres d'aller chercher du travail ailleurs.

Enfin, il y a les **serfs**. Ils cultivent les terres d'un seigneur et doivent lui remettre une partie de leurs récoltes. Les hommes doivent aussi se battre en temps de guerre, si nécessaire. En retour, le seigneur doit les protéger et leur fournir un toit et des parcelles à cultiver. Les serfs ne sont pas libres de quitter le manoir du seigneur.

Je fais une pyramide sociale

Fournitures :

- papier de bricolage
- crayon, règle, ciseaux
- ruban adhésif
- crayon de couleur, feutres

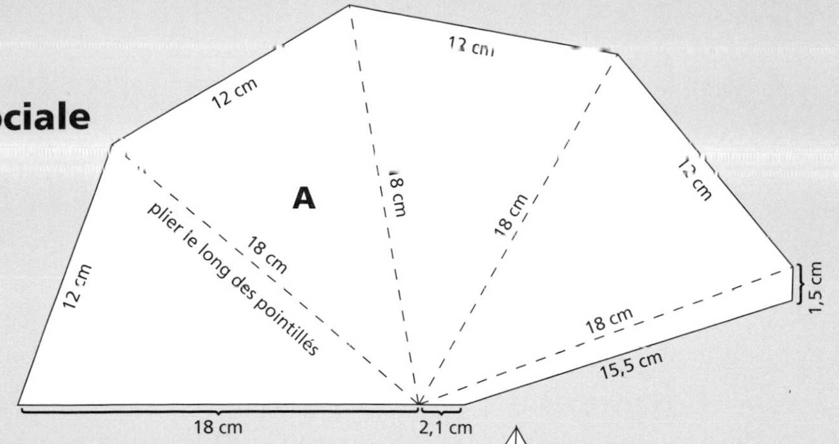

12 cm
12 cm
12 cm
12 cm
18 cm
18 cm
18 cm
18 cm
A
plier le long des pointillés
1,5 cm
15,5 cm
18 cm
2,1 cm
B

Une pyramide est composée d'une base carrée et de quatre côtés en forme de triangle. C'est une structure très solide. La base est la partie la plus importante : elle soutient toutes les autres parties.

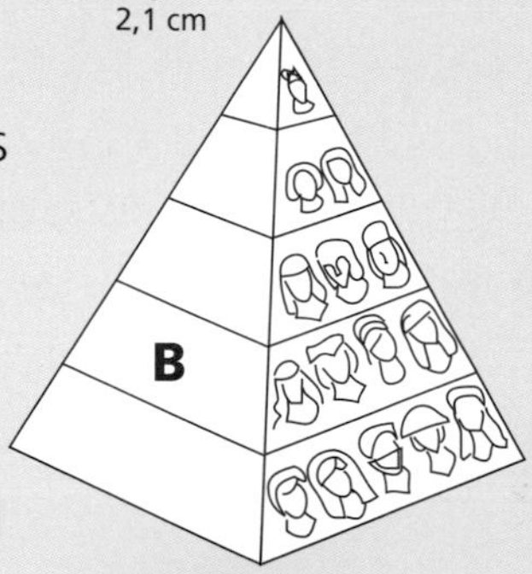

Travaillez deux par deux pour cette activité.

1. Dessinez la forme **A** sur du papier de bricolage, en respectant les dimensions indiquées. Puis, découpez-la.
2. Créez un diagramme représentant la structure sociale du Moyen Âge sur votre pyramide. Sur un des côtés, écrivez les quatre catégories décrites à la page 6. Sur le second côté, dessinez des petits personnages représentant les membres de chaque groupe, au niveau qui convient.
3. Pliez les côtés le long des lignes en pointillé. Fixez les deux bords extérieurs avec du ruban adhésif pour former la pyramide **B**.
4. Rangez soigneusement votre pyramide. Vous la consulterez dans les chapitres suivants.

roi
noblesse (barons) évêques
petite noblesse dames/chevaliers abbés/abbesses
marchands artisans personnes libres
serfs serfs serfs serfs serfs

Faire ◊ Discuter ◊ Découvrir

1. Commence une section Vocabulaire dans ton cahier. Crée une page de titre et (ou) une feuille intercalaire pour la délimiter. Relève les mots écrits en rouge (pages 5 et 6). Explique chaque terme en tes propres mots. Tu ajouteras des mots dans cette section tout au long du manuel.

Chapitre 1
Le village médiéval

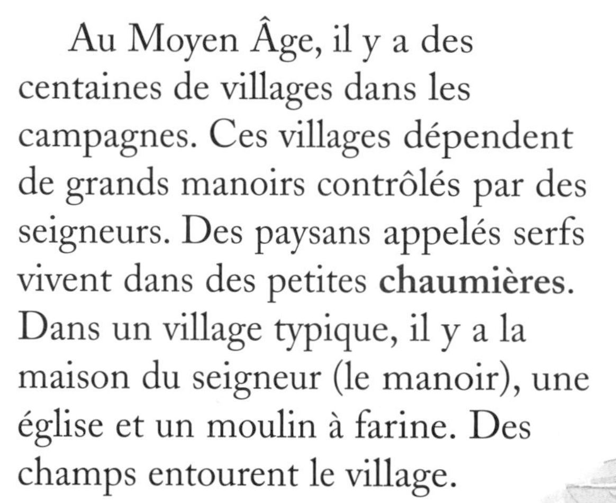

Au Moyen Âge, il y a des centaines de villages dans les campagnes. Ces villages dépendent de grands manoirs contrôlés par des seigneurs. Des paysans appelés serfs vivent dans des petites **chaumières**. Dans un village typique, il y a la maison du seigneur (le manoir), une église et un moulin à farine. Des champs entourent le village.

Le manoir désigne à la fois la maison du seigneur *[lord]* et l'ensemble des terres.

À retenir!

Sujets traités au chapitre 1 :

- les villages médiévaux
- les maisons de village
- autres édifices
- champs, forêts et cours d'eau

Vocabulaire

chaumière
communaux
pâturage
gué
abbaye
torchis sur clayonnage
toit de chaume
poteau
lin
foyer
grande salle
forge
champs ouverts
jachère
centenaire
braconnier

Les villages médiévaux

Au Moyen Âge, la plupart des villages sont entourés de champs. Les petites maisons sont regroupées. Elles sont reliées entre elles par des chemins de terre qui zigzaguent.

Dans la plupart des villages, il y a des espaces verts appelés **communaux**. Ce sont des **pâturages** où tous les animaux des villageois peuvent paître. Les troupeaux du seigneur sont dans des pâturages à part.

Certains villages médiévaux sont construits près du château qui appartient au seigneur – à l'extérieur ou à l'intérieur des murs. Le château protège les serfs et tous les villageois en cas de guerre.

D'autres villages sont situés au carrefour de deux routes ou près d'un gué ou d'un pont. Le **gué** est l'endroit peu profond d'un cours d'eau, qui permet de traverser à pied.

Les très grands manoirs sont composés de plusieurs villages – chaque village étant entouré de ses propres champs. Souvent, les grands seigneurs confient la responsabilité d'une partie de leurs terres à des chevaliers.

Certains manoirs appartiennent à l'Église. Les serfs de ces manoirs donnent une partie de leurs récoltes à une **abbaye** – un établissement religieux dirigé par un abbé ou une abbesse.

Rievaulx était une immense abbaye au XIIe siècle. Elle se trouve dans le nord de l'Angleterre. (Pour en savoir plus, voir : www.mondes-normands.caen.fr/france/Patrimoine_architectural/Angleterre/Abbeys/rievaulx/rivaulx1.htm).

Rievaulx est un nom anglo-normand – de l'anglais *Rye* et du latin *vallis* (la vallée), c'est-à-dire la vallée de la rivière Rye.

Les maisons de village

Au Moyen Âge, il y a des petits villages de moins de cent habitants, qui vivent dans un petit groupe de maisons. Il y a aussi des gros villages de plusieurs centaines d'habitants.

Toute une famille mange, dort et vit dans la maison villageoise typique. La plupart des maisons sont petites (12-15 mètres de long sur 3-4 mètres de large). Il n'y a qu'une ou deux pièces.

Pour faire du **torchis sur clayonnage**, on tresse des petites branches pour créer le clayonnage; puis, on applique du torchis (mélange de terre argileuse et de foin ou de paille).

Fait français

Les toits de chaume duraient à peu près 20 ans. La maison rurale au toit de chaume est appelée « chaumière ».

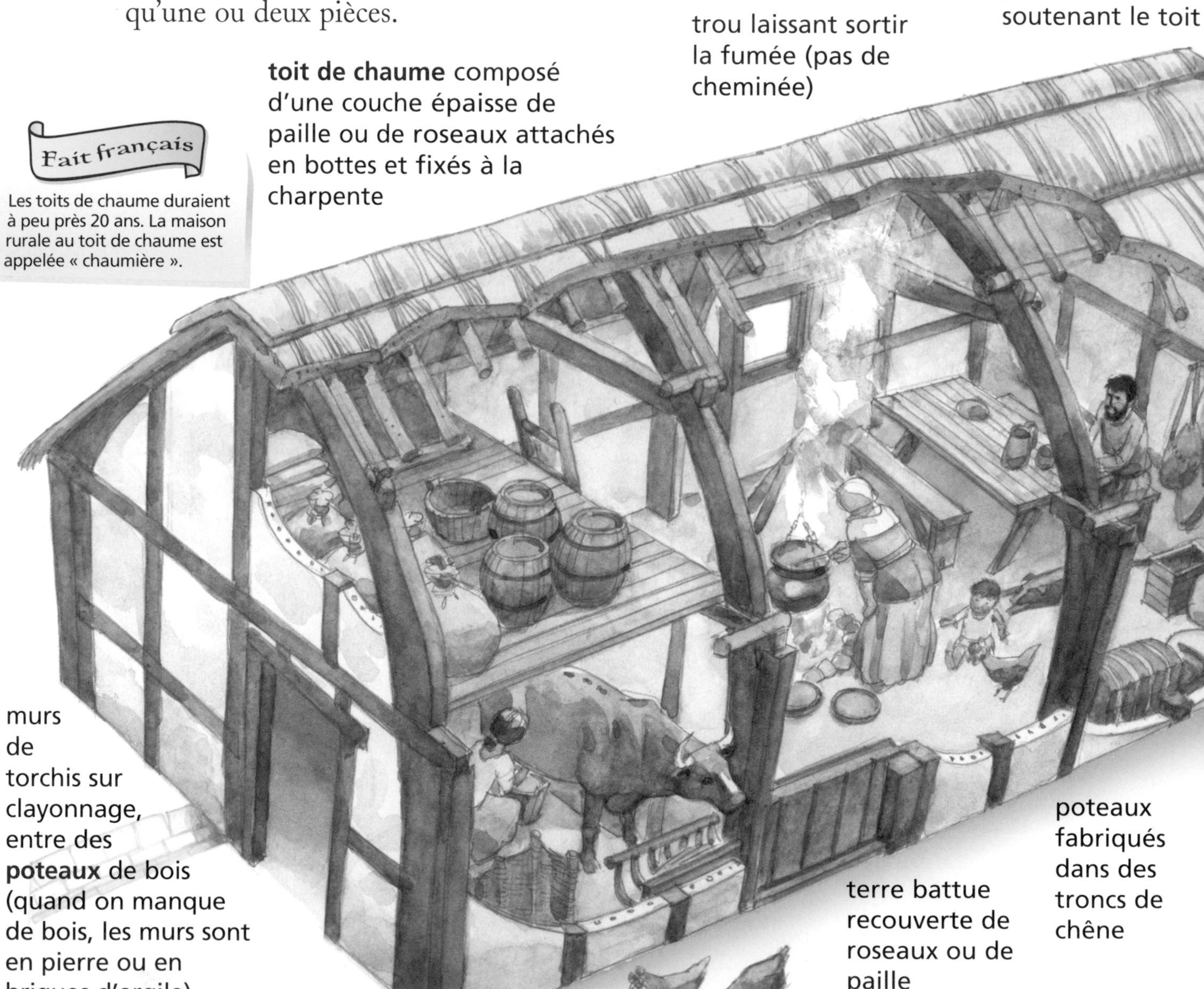

Intérieur d'une maison de village

Comparé à aujourd'hui, il y a peu de meubles dans la maison du serf ou du paysan libre. Les meubles sont en bois ou en matériaux naturels.

Les meubles sont simples et solides. Les tables à pieds sont rares : on utilise plutôt une planche sur des tréteaux. Les gens s'assoient sur des bancs ou des tabourets. Le soir, on pose sur le sol des matelas de grosse toile, remplis de paille ou de laine.

La plupart des gens utilisent des couvertures de laine ou des peaux. Les plus riches ont des draps de **lin**.

Le savais-tu?
Le lin est une plante : la tige fournit un fil très fin; la graine donne de l'huile. Le lin est aussi le tissu fait avec cette fibre végétale.

Les gens s'éclairent avec des chandelles – des bâtons de bois ou des roseaux trempés dans de la graisse animale. Au centre de la pièce, le **foyer** permet de cuisiner; il donne aussi de la lumière et de la chaleur.

Les vêtements et les objets sont accrochés au mur ou rangés dans des coffres.

Il n'y a pas d'eau courante, pas de salle de bain, pas de toilettes. Les gens font leurs besoins à l'extérieur. Ils vont chercher l'eau au puits et la transportent dans des seaux de cuir.

Les villageois cultivent des légumes dans des petits jardins, près des maisons.

La nuit, les gens et les animaux partagent souvent la même pièce. C'est une façon d'éviter le vol du bétail. Les animaux dégagent aussi une chaleur qui protège la famille du froid en hiver. Dans certaines maisons, il y a parfois une pièce à part ou un enclos pour les animaux.

Les fenêtres

Chez les pauvres, les fenêtres sont de simples ouvertures sans vitres, fermées par des volets de bois.

Parfois, on protège la fenêtre avec de la toile, du parchemin ou du papier huilé, qu'on peut retirer quand il fait beau temps.

Plus rarement, on utilise des minces couches de corne polie. Ces vitres laissent passer la lumière, mais elles ne sont pas transparentes.

Chez les gens très riches, les fenêtres vitrées se développent au XVe siècle.

Faire ◆ Discuter ◆ Découvrir

1. Deux par deux, discutez des dangers qu'il y avait dans une maison de village typique.
2. Tous les matériaux de construction étaient naturels : ils venaient de l'environnement. Faites un tableau de deux colonnes : indiquez les parties de la maison dans une colonne et la source des matériaux dans l'autre colonne.

Je fais une maison de village

C
4 cm
6 cm
Supports du toit
(3 x)
8 cm

D
15 cm

16 cm
B (13 x)
2 cm

6 cm
6 cm
7 cm
A (2 x)
1 cm
15 cm
8 cm

Fournitures :

- carton léger
- papier jaune ou beige
- 6 petits bâtonnets
- 4 bâtonnets de taille supérieure
- ciseaux, crayon, règle
- colle blanche
- ruban adhésif
- feutres bruns
- peinture blanche

1. Mesure et dessine les pièces ci-dessus en respectant les dimensions. Découpe deux morceaux (**A**) [côté + extrémité] dans du carton et 13 bandes (**B**) dans du papier.
2. Peins les parties (**A**) en blanc. Dessine et colorie les poutres, les poteaux, le cadre des fenêtres et de la porte. Découpe l'ouverture des fenêtres et de la porte.
3. Pour faire les murs, forme une rainure le long des lignes en pointillé des parties (**A**) et plie le carton. Colle la languette qui forme l'angle du mur pour faire un rectangle.
4. Coupe six morceaux de bois de 6 cm de long et trois morceaux de 4 cm de long. Avec du ruban adhésif, forme trois supports en forme de triangle pour la toiture (voir **C**). Assemble-les et fixe-les à la charpente avec du ruban adhésif ou de la colle (voir **D**).
5. Utilise du papier pour faire la couche de chaume : plie *une* bande de papier en deux dans le sens de la longueur. Avec des ciseaux, coupe des franges de chaque côté de la pliure – mais en laissant une arête centrale. Sur toutes les autres bandes, fais des franges plus longues d'un seul côté. Colle six bandes de « chaume » sur chaque pente du toit. Commence par la bande du bas. Chaque bande suivante doit chevaucher la précédente. Colle la bande pliée à cheval au sommet du toit.
6. Découpe une base en carton assez grande pour soutenir la maison. Elle formera le sol. Dessine un foyer au centre. Place les murs sur la base et pose le toit sur les murs.

Autres bâtiments

Dans le village médiéval, il y a en général un manoir pour le seigneur, une église et au moins un moulin.

Le manoir seigneurial

Le manoir seigneurial est utilisé par le seigneur. Ce n'est pas un château; mais ce n'est pas une simple maison d'habitation. Elle est plus grande, plus belle et mieux bâtie que les autres maisons. Souvent, elle est en pierre. Elle a plus de pièces, plus de fenêtres et un plus grand terrain que les autres.

Près du manoir, il y a des jardins où on cultive des légumes et des herbes aromatiques. Les autres bâtiments ou dépendances – les écuries, les étables, la grange, etc. – font partie du manoir. En général, la résidence et les dépendances sont entourées d'un mur.

Les riches seigneurs qui ont d'autres maisons habitent seulement au manoir quand ils visitent le village. Les membres de la petite noblesse ou les chevaliers passent presque toute l'année au manoir avec leurs familles.

Dans le manoir, la salle de séjour typique est appelée la **grande salle**. Elle sert aux réunions, aux fêtes et aux grandes occasions. Par exemple, c'est là que les villageois assistent au banquet de Noël.

Divers objets historiques sont exposés dans cette grande salle médiévale.

Faire ◊ Discuter ◊ Découvrir

1. Revois les pages 10 à 13. Relève des informations sur le manoir et les maisons du village – à partir des images et du texte.
   a) Associe-toi à un-e partenaire pour trouver des points communs et des différences.
   b) Relevez vos notes dans vos cahiers à l'aide d'un graphique ou tableau d'organisation.

L'église du village

L'église et le manoir seigneurial sont les édifices les plus importants du village. Au début, les églises sont en bois. Puis, à mesure que le village s'étend, l'église est reconstruite en pierre. Elle est souvent entourée d'un mur pour éloigner les animaux de ferme.

Au Moyen Âge, il n'y avait pas de bancs ou de chaises dans les églises. Les gens restaient debout ou s'agenouillaient sur la pierre pour prier.

Le mur qui entourait cette église médiévale n'existe plus.

En général, l'église contient des sculptures de saints. Sur les murs, des scènes aux couleurs vives représentent des histoires de la Bible – le livre saint des chrétiens. La plupart des villageois ne savent pas lire. Il est donc important d'utiliser des images pour raconter la Bible (la page 31 en dit plus à ce sujet).

Ailleurs...

Cette église en bois se trouve à Vik (Norvège). Construite vers 1200, c'est l'église la plus ancienne de ce type en Norvège.

Autres édifices

Certains édifices du village médiéval sont utilisés par toute la communauté. En général, ils ont été construits aux frais du seigneur. Les villageois paient ces services avec des produits ou de l'argent.

Les gens font cuire le pain dans un four commun ou chez le boulanger.

Dans sa **forge**, le forgeron travaille les métaux au feu et au marteau sur une enclume. Il fabrique des outils et des objets. Il ferre aussi les chevaux des villageois.

Notre héritage

Aujourd'hui, la plupart des gens achètent leur pain. Il est fabriqué avec des machines et cuit dans d'énormes fours.

Les moulins à farine fonctionnent grâce à la force du vent ou de l'eau. Elle fait tourner d'énormes meules qui transforment le grain en farine.

Faire ◊ Discuter ◊ Découvrir

1. Deux par deux, discutez des avantages des services partagés dans la communauté. Identifiez trois services que les gens partagent dans votre communauté et expliquez pourquoi.
2. Examinez soigneusement l'image du moulin à farine, à gauche. Donnez la liste des activités numérotées dans l'ordre où elles se déroulaient. Expliquez chaque étape.

Les champs

Les champs qui appartiennent au manoir sont cultivés par les serfs et les paysans libres qui vivent au village.

Les villageois cultivent des céréales (blé, orge, avoine et seigle) pour obtenir de la farine. Ils produisent aussi des légumes secs (lentilles, pois, fèves, haricots).

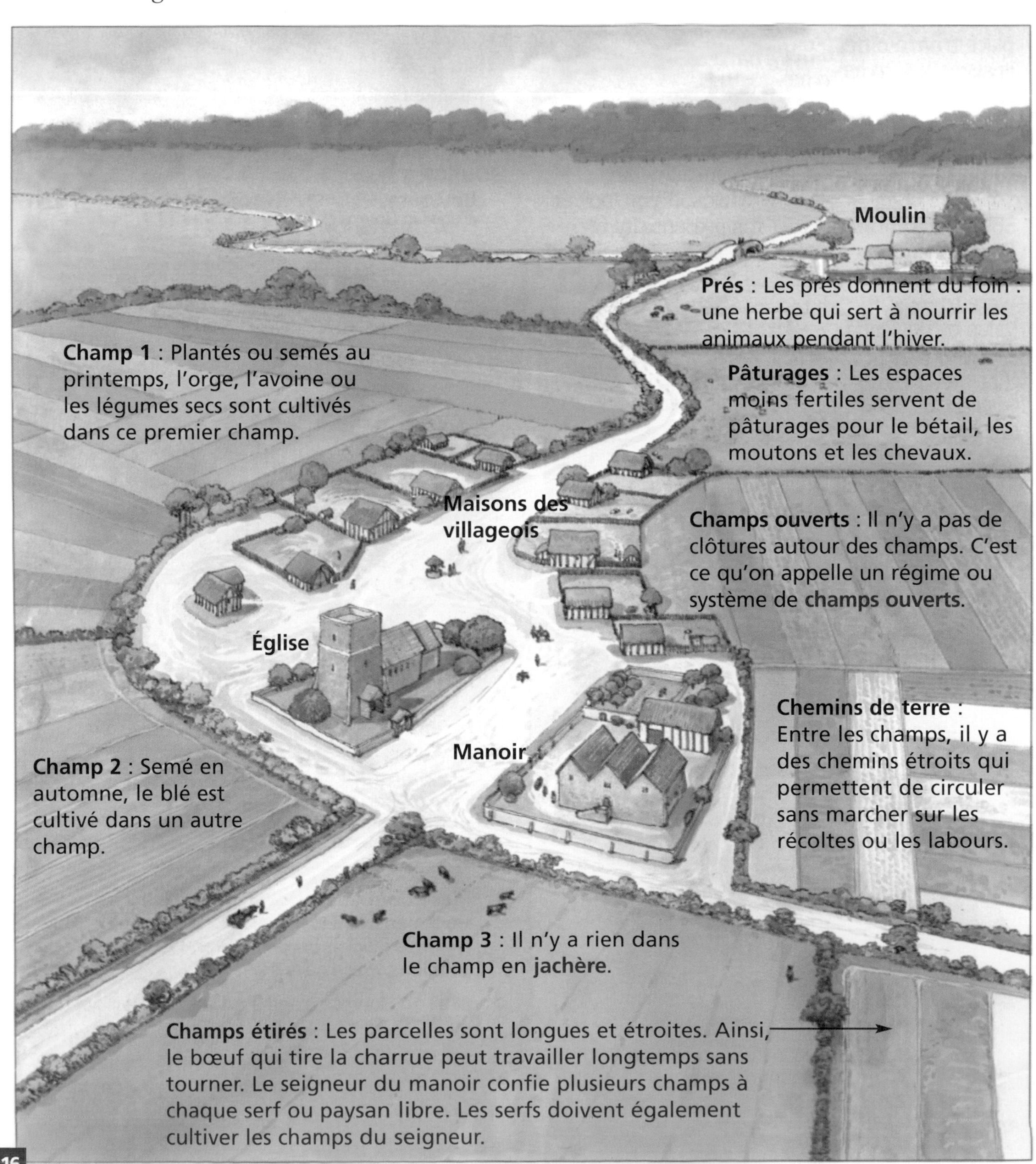

La rotation des récoltes

Au Moyen Âge, les paysans cultivent des espèces différentes chaque année dans deux de leurs champs principaux. Le troisième champ reste en jachère : une année sur trois, on le laisse sans culture pour reposer le sol. Les animaux peuvent brouter dans les champs en jachère.

Quand on cultive toujours les mêmes espèces au même endroit, le sol s'épuise rapidement. La rotation des récoltes et la mise en jachère permettent d'obtenir de meilleurs résultats. Tous les ans, les villageois décident ensemble ce qu'il faut planter et quels champs il faut mettre en jachère.

	1re année	2e année	3e année
Champ 1	Blé	Avoine	....
Champ 2	Avoine	Jachère	....
Champ 3	Jachère	Blé	....

Les engrais

Le fumier sert d'engrais. En hiver, tous les moutons du village sont regroupés dans les pâturages du seigneur. Le fumier de mouton est un produit précieux; il appartient au seigneur.

Souvent, le village tire son eau d'un cours d'eau qui traverse les champs et les pâturages. Les animaux produisent des déchets qui peuvent polluer les réserves en eau.

Aujourd'hui, dans les pays comme le Canada, les fermes sont beaucoup plus grandes qu'au Moyen Âge. Les agriculteurs utilisent beaucoup de machines agricoles. Ils travaillent plus rapidement et emploient moins de travailleurs agricoles. Les champs sont plus grands. Beaucoup de gens pratiquent encore la rotation des récoltes pour obtenir de meilleurs rendements.

Aujourd'hui, on cultive des espèces nouvelles qui donnent un meilleur rendement. Les engrais naturels et les engrais chimiques permettent d'enrichir le sol. Les pesticides servent à éliminer les mauvaises herbes et les insectes nuisibles.

Comme au Moyen Âge, les agriculteurs craignent les mauvaises récoltes, les maladies, les insectes, le mauvais temps, la sécheresse, la grêle, les inondations. De plus, ils craignent la pollution de l'eau et du sol. Il faut longtemps pour réparer les dommages causés par la pollution.

Faire ◆ Discuter ◆ Découvrir

1. Dessine un village imaginaire et ses trois champs. Consulte l'illustration de la page 16, au besoin. Indique comment les champs seront utilisés, la 3e année du tableau ci-dessus.
2. Demandez-vous comment les cours d'eau pouvaient être pollués au Moyen Âge.

Les forêts et les cours d'eau

Au Moyen Âge, les villages ne sont jamais très loin des forêts. Ces forêts et tout le gibier appartiennent au roi. En général, le seigneur a la permission d'utiliser la forêt qui est près du manoir. À son tour, il contrôle ce que les villageois peuvent y prendre : le bois mort, les noix et les autres produits de la forêt.

En Angleterre et dans le nord de l'Europe, il y a surtout des forêts de feuillus* tels que le chêne. Les feuillus ont un tronc droit et solide. Ils donnent un bois de qualité qui ne pourrit pas. C'est un excellent matériau de construction.

* Les feuillus sont des arbres qui ont des feuilles; les pins et les sapins ont des aiguilles.

À l'époque médiévale, il faut des arbres immenses pour construire la charpente des églises, des abbayes, des manoirs et des châteaux. Il y a des forêts de chênes, de hêtres et d'ormes **centenaires**. La plupart de ces forêts naturelles ont disparu aujourd'hui. On les a coupées pour avoir du bois de construction ou des terres agricoles. Certaines régions ont été reboisées.

Beaucoup d'animaux vivent dans la forêt médiévale. La chasse est un des sports préférés des rois, des reines et des nobles. Personne d'autre n'a le droit de tuer le gibier. Les **braconniers** qui chassent et qui pêchent illégalement sont sévèrement punis.

Le droit de pêche appartient au seigneur. Les villageois qui veulent pêcher doivent payer. Pour attraper le poisson, on utilise parfois des paniers allongés appelés nasses.

J'utilise mes connaissances

Compréhension des concepts

1. Le foyer se trouvait au milieu de la maison. Indique deux avantages et deux inconvénients.
2. Examine l'illustration de la page 18. Identifie trois activités montrant comment les forêts et les cours d'eau étaient utilisés au Moyen Âge.
3. Relève les mots nouveaux dans la partie Vocabulaire de ton cahier que tu as commencée à la page 7. Ajoute des diagrammes ou des dessins pour mieux te souvenir des mots et des définitions.

Maîtrise des habiletés de recherche et de communication

4. Visite le site anglais : http://loki.stockton.edu/~ken/wharram/wharram.htm. Rédige des notes sur le village médiéval abandonné d'après le contenu du site – diagrammes, photos, etc. Visite aussi le site français : www.bretagne-holidays.com/melrand.html. Partage tes notes avec un-e autre élève.

Application des concepts et habiletés à différents contextes

5. a) Crée une affiche illustrant les causes de pollution dans un village médiéval et dans une ville canadienne moderne.
   b) Rédige un court résumé décrivant les points communs et les différences.
6. Relis les pages 5 et 6. Plusieurs groupes sociaux vivaient dans le village. Associe-toi à un-e partenaire. Discutez pour prédire quels groupes vivaient dans les différents édifices du village (ou les utilisaient).

Projet médiéval

1. Au sein de vos groupes de travail, trouvez des jeux de table à l'école et à la maison. Examinez-les pour trouver des idées sur les différents types de jeux.
2. Parlez des jeux que vous avez trouvés et que vous connaissez. Lisez les règles du jeu et discutez-en. Le jeu que vous allez créer doit être amusant et instructif – vous aider à en savoir plus sur le Moyen Âge. Réfléchissez et discutez pour voir comment vous pouvez atteindre cet objectif.
3. Au sein de vos groupes de travail, revoyez le chapitre 1. Rédigez quatre questions et réponses au sujet d'informations importantes sur le village médiéval. Vous pourrez les utiliser de différentes façons selon le type de jeu que vous choisirez. Rangez ces questions et réponses dans votre dossier. Vous ajouterez des informations pour chaque chapitre.

Chapitre 2
La vie au village

En général, le village médiéval est très vivant. On entend les chiens qui aboient, la roue du moulin et le marteau du forgeron. Presque toutes les activités se passent à l'extérieur. Les paysans travaillent dans les champs, mais il y a aussi des artisans, des officiers du seigneur et un prêtre au village.

À retenir!

Sujets traités au chapitre 2 :

- comment les villageois répondent à leurs besoins essentiels (alimentation et vêtements)
- la santé
- les travaux de la ferme
- les autres métiers
- la religion au Moyen Âge
- le prêtre du village et l'éducation
- la justice
- comment poser des questions

Vocabulaire

autosuffisant
aliments de base
quenouille
rouet
tisserand
apothicaire
régisseur
bailli
sous-bailli
Domesday Book [Livre du Jugement dernier]
pénitence
dîme
pilori

Les repas

Le village médiéval est presque toujours **autosuffisant.** C'est-à-dire que les villageois répondent à leurs propres besoins – avec les produits de la ferme ou de l'environnement (la Nature).

Tous les **aliments de base** viennent des jardins et des champs. Les aliments de base sont les produits que les gens mangent tous les jours : les légumes, les céréales et les produits laitiers. Les légumes secs (lentilles, pois, fèves, haricots) apportent des protéines. On les utilise pour faire des soupes épaisses; on les ajoute aux ragoûts. La viande est réservée aux fêtes. On mange aussi les poules qui ne pondent plus.

Herbes aromatiques	
persil	cresson de fontaine
menthe	romarin
fenouil	rue
ail	pourpier
sauge	
bourrache	

Les herbes aromatiques servent à parfumer les soupes de légumes.

Le miel est le seul produit qui permet de sucrer les aliments.

Parfois, il y a des famines. Quand les récoltes sont mauvaises, les gens meurent de faim. Ils tombent malades et souffrent aussi de malnutrition.

Le chaudron à trois pieds était posé directement sur le foyer.

Les boissons

Au Moyen Âge, l'eau du village est souvent polluée. Il est dangereux de la boire.

D'origine anglaise, l'ale est une boisson nutritive importante. Elle est faite à base d'eau, de levure et de houblon. Le processus de fermentation purifie l'eau.

Souvent, les femmes gagnaient un peu d'argent pour la famille en fabriquant et en vendant un peu d'ale.

Petit déjeuner
Pain et ale

Déjeuner
(dans les champs)
Pain, ale, fromage ou viande, plus rarement

Souper
Soupe de légumes, pain, ale

Les vêtements

Les villageois font eux-mêmes leurs vêtements. Ils utilisent la laine, le cuir tanné et la peau de mouton.

L'homme plus riche possède parfois une chemise de toile ou de lin pour les grandes occasions. Certaines femmes portent un long sous-vêtement en tissu léger appelé « doublet ».

Les hommes et les femmes portent souvent un chaperon : une sorte de capuchon qui couvre la tête et les épaules.

Les gens portent des sabots ou d'épaisses chaussures de cuir lacées.

Les vêtements des enfants ressemblent aux vêtements des adultes.

Le tissage

Au Moyen Âge, on utilise la laine, le chanvre et le lin pour faire du tissu. Les femmes filent la laine : elles tordent les fibres pour obtenir un long fil. En général, elles utilisent une **quenouille**, une tige de bois ou d'osier qui sert à tenir la laine à filer. À partir des années 1300, le **rouet** est de plus en plus utilisé.

Le tisserand est l'artisan qui fabrique des tissus. Parfois, les femmes font elles-mêmes le tissu qui sert à confectionner les vêtements de la famille. En général, elles portent le fil qu'elles ont tissé à un **tisserand** et l'échangent contre du tissu.

On utilise des plantes locales ou des produits naturels pour teindre le tissu. Par exemple, la pelure d'oignon donne une couleur jaune brun. Les couleurs foncées sont préférables pour les villageois qui travaillent dur.

Faire ◊ Discuter ◊ Découvrir

1. Revois les pages 20–22.
   a) Rédige 2 ou 3 phrases sur les repas des villageois au Moyen Âge dans ton cahier.
   b) Rédige 2 ou 3 phrases sur leurs vêtements.

La santé

La vie est difficile au Moyen Âge. Il faut être fort pour faire les durs travaux. Les maladies et les blessures sont fréquentes. La vie est relativement courte. Il y a beaucoup de morts chez les nouveau-nés, les jeunes enfants et les nouvelles mères.

En général, les gens ne comprennent pas ce qui provoque les maladies. Ils ne savent pas non plus comment se soigner. Les médecins sont rares dans les campagnes. Les femmes qui connaissent les plantes médicinales sont appelées « guérisseuses ». Elles cultivent des plantes ou elles vont les cueillir dans la nature.

La grande camomille servait à calmer les migraines et facilitait les accouchements.

Les villageoises s'entraident pour les accouchements et soignent les malades. Parfois, il y a une sage-femme au village. La sage-femme fait le métier d'accoucher les femmes.

Les fleurs et les feuilles de l'achillée millefeuille servaient à faire des tisanes.

En cas de maladie, le guérisseur ou la guérisseuse recommande certains aliments et boissons, de l'exercice ou du repos. La prière fait souvent partie du traitement.

La consoude servait à guérir les fractures.

Le guérisseur ou la guérisseuse sait aussi soigner les fractures et les blessures. On utilise un fer chaud pour cautériser les plaies. C'est une façon de nettoyer la plaie et de l'empêcher de saigner.

Quand le village se trouve près d'un monastère ou d'un couvent, les gens demandent de l'aide aux moines ou aux sœurs. Dans certaines communautés religieuses, il y a un **apothicaire.** Les apothicaires savent préparer des médicaments. Ce sont les pharmaciens du Moyen Âge.

Faire ◊ Discuter ◊ Découvrir

1. Deux par deux, examinez les liens entre la santé et l'environnement (la Nature).

Les travaux agricoles

Au Moyen Âge, on travaille tous les jours au village – sauf le dimanche et les jours de fête (mais il faut encore nourrir les animaux et traire les vaches). Les gens se lèvent avec le soleil et travaillent jusqu'à la tombée de la nuit. Puis, ils prennent le repas du soir et vont se coucher.

Les familles travaillent ensemble – surtout à l'époque des semailles et des moissons. Les jeunes enfants font certains travaux. Ils enlèvent les pierres dans les champs, ils gardent les vaches et les cochons; ils nourrissent les animaux. Les bébés sont emmaillotés (c'est-à-dire qu'ils portent des langes très serrés). On peut donc les accrocher à une branche ou les poser au bout du champ pendant que les parents travaillent.

Au moment des récoltes, tout le village participe au travail. On commence par les champs du seigneur du manoir; puis, les paysans font leurs propres récoltes.

PRINTEMPS

- labourer les champs
- enlever les pierres
- planter les récoltes
- tailler les arbres fruitiers
- tondre les moutons

ÉTÉ

- soigner les animaux
- enlever les mauvaises herbes
- récolter les céréales semées en automne
- cueillir les fruits

HIVER

- réparer les clôtures, les outils, la maison et les bâtiments de ferme

AUTOMNE

- battre le grain
- emmener les cochons manger des glands dans la forêt
- semer les céréales d'automne
- rentrer le foin et la paille pour l'hiver
- tuer les cochons
- fumer et saler la viande

Travaux courants

- faire les fromages
- faire de la bière
- filer et tisser
- jardiner
- traire les vaches et les chèvres
- s'occuper des poules
- préparer les repas
- s'occuper des enfants

Images de la vie au village

L'image de droite est un vitrail. Les trois images ci-dessous sont tirées de livres d'époque. Au Moyen Âge, les livres sont copiés à la main. On décore les marges avec des motifs ou des illustrations. Tout l'espace est utilisé – sans gaspillage. En général, les livres traitent de sujets religieux. Les illustrations montrent parfois des scènes de la vie quotidienne.

Ce jeune paysan sème du grain.

Une quenouille sous le bras, cette femme donne du grain à une poule et ses poussins.

En général, ce sont les femmes qui traient les vaches.

Tout le village participe aux travaux de la moisson : il faut vite couper le blé et le mettre en gerbes pour éviter la pluie ou l'orage.

Faire ◊ Discuter ◊ Découvrir

1. Discussion de classe : examinez les images ci-dessus et expliquez comment elles illustrent la vie quotidienne des villageois.
2. Prends une feuille blanche et divise-la en quatre : une partie pour chaque saison. Dessine ou illustre une activité pour chaque saison. Rédige une phrase pour chaque activité.

Les artisans

Dans le village médiéval, il n'y a pas que des paysans. Il y a aussi des gens qui fournissent des services et qui fabriquent des objets pour les villageois et le seigneur du manoir. Le plus souvent, on les paie en nature – avec des aliments ou des produits de la ferme.

En général, les artisans sont des personnes libres. Ils paient un loyer au seigneur pour la maison et le jardin qu'ils occupent. Ils travaillent seulement dans les champs à l'époque des moissons – quand on a besoin de tout le monde.

Alfred Meunier
« Je m'occupe du moulin. Je produis la farine qui sert à faire le pain. Mon travail est payé en nature : je garde une partie de la farine. Je paie la location du moulin au seigneur du manoir. »

La Veuve Boulanger
« Ma famille fait cuire le pain pour tout le monde dans le four du village. En général, les gens me paient en nature : ils me donnent du pain, des œufs ou des légumes, par exemple. Plus tard, mon fils deviendra boulanger à son tour. »

Robin Foulon
« Je suis responsable du moulin à foulon. Les tisserands nous apportent leur nouveau tissu de laine. Nous le nettoyons et nous le frappons pour resserrer les fils. Ce traitement rend le tissu plus chaud, plus souple et plus imperméable. »

Guillaume Forgeron
« Je fabrique et je répare tout ce qui est en métal. Les cercles de fer qui entourent les roues des charrettes, le fer des charrues, les couteaux, les faucilles qui servent à couper le blé; les ciseaux.

« Je peux fabriquer des serrures, des clés, des chaînes et des boulons. Mon fils alimente le feu de la forge. Il faudra qu'il devienne très fort s'il veut devenir forgeron. »

Thomas Menuisier
« Je travaille le bois : je suis menuisier. Je fabrique et je répare les tabourets, les charrettes et tout ce qui est en bois.

« Parfois, je donne un coup de main à Adam Charpentier et à Edgar Lachaume. Ils construisent la charpente et la toiture des maisons. En général, je fabrique surtout des meubles. »

Beaucoup de noms de famille reflètent le métier d'un ancêtre (un parent lointain).

Faire ◊ Discuter ◊ Découvrir

1. Formez ces groupes de trois élèves. Choisissez trois types de travail décrits aux pages 21–26. Parlez de l'importance du travail fait par les hommes et les femmes.
2. Collectivement, en tant que classe, faites la liste des noms de famille qui reflètent peut-être un métier d'autrefois.

Les officiers du seigneur

Au Moyen Âge, les villages dépendent d'un seigneur ou d'une abbaye. Ils sont administrés par des personnes qui représentent l'autorité du seigneur ou de l'abbaye. Tout le monde doit donc leur obéir et les respecter.

Le régisseur

Le principal représentant du seigneur est le **régisseur** ou *steward*. Il gère les affaires du seigneur. Souvent, il est responsable de plusieurs villages. Il voyage de l'un à l'autre. Il tient des livres de comptes et rapporte ce qui se passe au seigneur. Quand les villages dépendent d'une abbaye, le régisseur est souvent un religieux appelé « cellérier ». Le *steward* est un personnage important.

Le bailli

Parce que le régisseur vit rarement sur place, le seigneur nomme un représentant dans chaque village : le **bailli.** Il agit au nom du seigneur et du *steward* en leur absence. Il surveille le travail des serfs, l'administration du village et fait appliquer les ordres du seigneur. Il engage aussi des artisans, au besoin. Quand les récoltes sont bonnes, c'est lui qui vend le surplus. Il achète aussi ce qui n'est pas produit sur place.

Le sous-bailli

L'assistant du bailli est un serf ou un paysan libre appelé **sous-bailli,** prévôt ou *reeve*. Il vit au village et supervise les autres serfs. Il est choisi par les villageois. Il organise les travaux du village – les semailles et les moissons, par exemple.

La taille

Le régisseur, le bailli et le sous-bailli doivent savoir tenir les comptes. Le sous-bailli utilise souvent un morceau de bois fendu appelé la taille pour marquer le montant et le nom des personnes qui paient des taxes. Le régisseur et le seigneur examinent attentivement ces documents.

Le mot anglais *baillif* vient du français « baillif », utilisé en France jusqu'au XVIIe siècle.

Le village d'Elton

Au Moyen Âge, le village d'Elton se trouve sur les terres d'un manoir qui appartient à l'abbaye de Ramsey. L'abbé ne vit pas à Elton et il vient rarement au village. Il a 23 autres manoirs. Les représentants de l'abbé administrent les terres et tiennent des livres indiquant les recettes et les dépenses.

À Elton, l'Abbé de Ramsey avait environ [3 kilomètres carrés] de terre. Il y a maintenant 4 charrues sur [la portion de terre seigneuriale]. Il y a 28 [serfs] qui ont 20 charrues. Il y a une église et un prêtre, et 2 moulins avec un revenu de 40 shillings par an. Il y a [69 hectares] de pâturages.

D'après le Domesday Book

Le *Domesday Book*

C'est dans le *Domesday Book* que Elton est mentionné pour la première fois. Dans les années 1080, Guillaume le Conquérant – duc de Normandie et roi d'Angleterre – envoie des enquêteurs dans tout le pays. Ils vont faire la liste détaillée des terres et des biens du royaume dans un livre énorme. Le roi utilisera ces données pour calculer les taxes de tous ses sujets.

Pour en savoir plus, voir www.mondes-normands.caen.fr/france/histoires/5/histoire Norm5_2.htm.

2 moulins à eau et 1 moulin à foulon appartenaient aussi à l'abbé, ainsi que les droits de pêche dans la rivière

D'après une autre enquête royale, deux ans plus tard

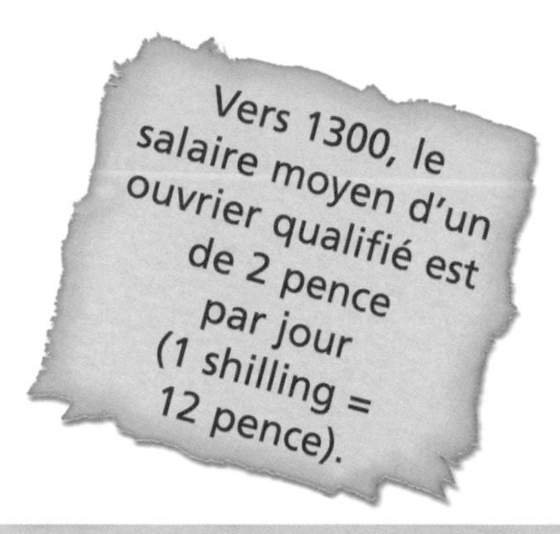

Vers 1300, le salaire moyen d'un ouvrier qualifié est de 2 pence par jour (1 shilling = 12 pence).

1 charpentier pour 12 jours (travail sur la chapelle) .... 12 pence

1 couvreur pour 32 jours (nourri et logé) (toiture en chaume de la grange) ..... 2 shillings

1 boulon (porte de la petite grange)........ 1 penny

1 charpentier pour 6 jours (portes de salle et de grange) .... 6 pence

4 hommes pour 3 semaines (toiture en ardoise de la chapelle) .... 5 shillings 2 pence

2 charpentiers pour 3 1/2 jours (réparation de l'édifice entre deux moulins)......... 7 pence

1 couvreur (toiture en chaume de 2 moulins). 7 pence

D'après les livres d'un seigneur au XIVe siècle

Les murs de cette chaumière sont en silex (Sussex, Angleterre).

La fibule*

Le grand-père du jeune Edgar est aveugle. Assis sur un banc près du mur, il tresse des lanières de cuir pour faire une corde. C'est le 29 septembre – la Saint-Michel. Le soleil est encore chaud en ce jour des moissons. Le grand-père arrête Edgar qui passe devant lui. Le jeune garçon est épuisé par la longue journée de travail et il a faim, comme d'habitude.

« Viens ici, mon garçon, dit-il. Il est temps de te dire qui tu es vraiment. »

Edgar est tout étonné. Il a déjà dix ans et travaille toute la journée dans les champs de la famille. L'année prochaine, peut-être, c'est lui qui guidera les bœufs attelés à la charrue ou qui fera les semailles. Le grand-père n'a plus la force de faire les gros travaux et les autres enfants sont trop jeunes.

Edgar a l'impression que sa famille a toujours habité cette maison et travaillé sur les terres de Lord Neville. Il connaît les responsabilités de sa famille. Il sait ce qu'elle doit au manoir. Ils saluent tous très bas quand les seigneurs passent à cheval. Y a-t-il quelque chose d'autre à savoir?

Il regarde son grand-père : « Je suis qui, alors? »

Le grand-père sort une petite bourse de cuir de sa tunique et la pose soigneusement sur ses genoux. Ses mains sont déformées par le travail et ses doigts tremblent. Il ouvre lentement la petite bourse. Le garçon aperçoit un bijou : l'or brille sous le soleil; des pierres rouges et violettes semblent se remplir de lumière.

Edgar est muet de terreur. Et si ce bijou était volé! Si le bailli venait les arrêter... ils seraient tous pendus!

« Voici l'emblème [le signe] de notre famille, mon garçon. »

Il y a des larmes dans les yeux malades du vieil homme. « Ce bijou appartenait à mon grand-père. Nous étions les seigneurs de cette région, il y a bien longtemps – avant l'arrivée des armées normandes, quand j'étais petit. N'oublie jamais que le sang des seigneurs coule dans nos veines. Quand ce bijou sera à toi, garde-le précieusement et avec fierté. »

Soudain, Edgar comprend pourquoi les gens s'écartent quand son grand-père traverse le village. Il comprend pourquoi ils le saluent avec respect. Le cœur d'Edgar bat très vite. Il n'oubliera pas.

*La fibule est une sorte d'agrafe ou broche qui sert à attacher un vêtement (voir : www.an-mil.com/costume/pages/fibule.htm).

La religion

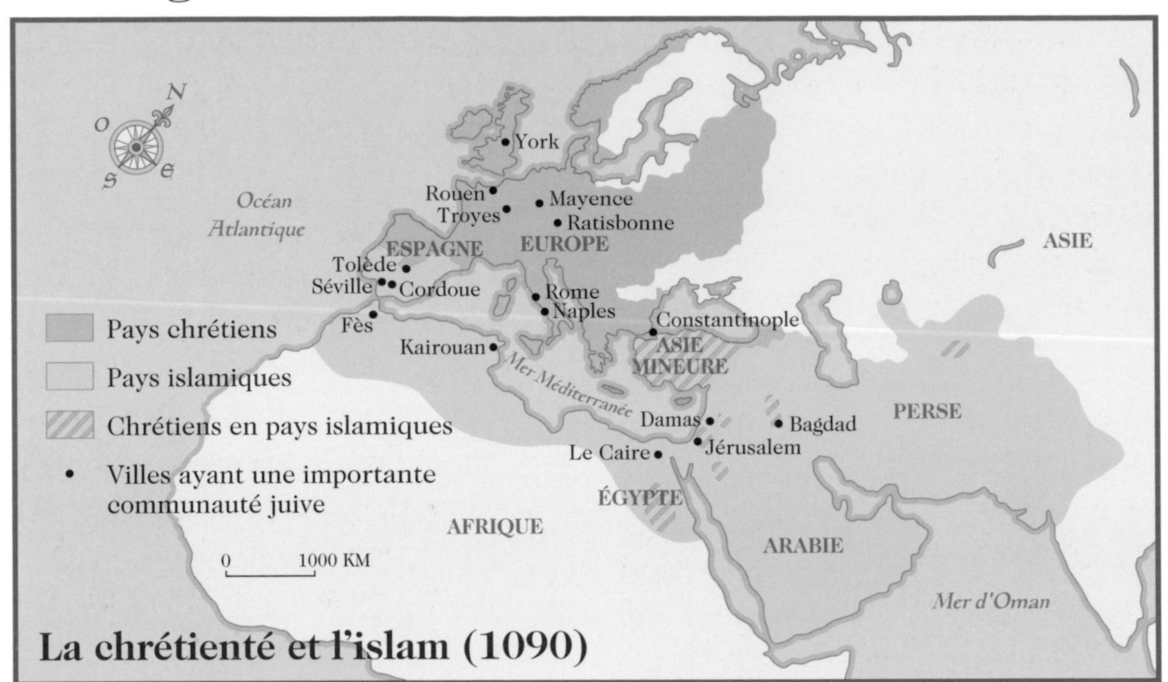

La chrétienté et l'islam (1090)

Au Moyen Âge, la religion joue un rôle important dans la vie de tous les jours. En Angleterre et dans presque toute l'Europe, la plupart des gens sont chrétiens. L'ensemble des pays chrétiens est souvent appelé la chrétienté.

Les gens qui pratiquent la religion islamique (les musulmans) sont rares dans le nord de l'Europe. Ils habitent surtout le sud de l'Espagne, la Perse, l'Asie Mineure, l'Arabie, l'Égypte et l'Afrique du Nord. Ces pays forment l'islam. (Tu pourras en savoir plus sur l'islam au chapitre 9.)

Il y a aussi de petits groupes de juifs. Ils sont obligés de vivre dans les villes et on leur interdit beaucoup de choses.

Au Moyen Âge, l'hindouisme et le bouddhisme sont des religions importantes en Asie.

La chrétienté

Les chrétiens pensent qu'ils seront jugés après leur mort et punis pour leurs mauvaises actions. Ils essaient d'accumuler des récompenses et d'éviter les punitions dans la vie éternelle. Ils vont à la messe, donne de l'argent à l'Église et aux pauvres; ils visitent des lieux saints pour prier.

Ora et labora.
Prie et travaille.
–Saint Benoît

Le latin

Le latin est la langue de l'Église catholique. Les messes sont dites et chantées en latin. Le clergé (les prêtres et les évêques) et les membres des communautés religieuses (les moines et les sœurs) apprennent à lire et à parler latin. Ils peuvent voyager d'un centre à l'autre et travailler où on a besoin de leurs services.

Le prêtre du village

Au Moyen Âge, chaque village a son prêtre. Il dit la messe et prie pour les malades. Il célèbre les mariages, les baptêmes et les enterrements. Il confesse les fidèles. Il distribue des **pénitences** – des punitions pour les péchés confessés.

Les villageois faisaient baptiser leurs enfants à l'église.

Le prêtre recueille aussi la **dîme** au nom de l'Église. C'est un pourcentage des biens des villageois (un dixième, en général). Le prêtre enseigne aux fidèles qu'ils ont le devoir de soutenir l'Église.

Le prêtre est un personnage important dans le village. Le seigneur du manoir lui donne une maison et une petite parcelle de terre qu'il cultive pour se nourrir et gagner sa vie.

L'éducation au village

En général, le prêtre est la seule personne du village qui peut enseigner aux enfants à lire ou à écrire.

Les filles ne vont pas à l'école. Les paysans libres paient parfois pour faire éduquer leur fils. Ils peuvent aussi donner de l'argent au monastère ou au couvent pour qu'un de leurs enfants entre en religion (devienne religieux ou religieuse). Certains paient l'Église pour qu'un de leurs fils devienne prêtre. Les serfs n'ont pas cette possibilité.

En général, ce sont les parents qui préparent les enfants à la vie adulte. Les pères enseignent les travaux des champs aux garçons; les mères enseignent les travaux domestiques aux filles.

Le charpentier apprenait son métier à son fils – en lui montrant comment fabriquer de simples objets.

Fêtes religieuses et festivals

Dans la plupart des manoirs, il y a au moins 15 jours de fête par an. Il faut traire les vaches, comme d'habitude. Mais ces jours-là, les serfs ne travaillent pas dans les champs. Il y a beaucoup de saints et de fêtes religieuses à célébrer. Elles varient souvent d'un village ou d'une région à l'autre. Mais Noël et Pâques sont fêtés par tous les chrétiens.

Les jours de fête religieuse, tout le monde va à l'église. Il y a aussi des spectacles qui racontent des histoires tirées de la Bible. Parfois, tout le monde se rassemble dans la cour de l'église. On installe des tables et on sert à boire et à manger aux villageois.

Les grands festivals sont marqués par une fête, des danses, de la musique et d'autres divertissements. Les acrobates et les jongleurs sont populaires. En général, le seigneur du manoir offre de la nourriture. Souvent, les festivals d'hiver ont lieu dans la grande salle.

Un marché de village

Au Moyen Âge, les gens ont rarement l'occasion de voyager ou de voir le monde extérieur. Les marchands ambulants transmettent les nouvelles de village en village. Ils vendent du sel, des outils en métal, des aiguilles ou des tissus de couleur. Ils sont payés en argent ou en nature. C'est-à-dire qu'ils reçoivent des produits – des céréales, de la farine, de la laine ou des aliments. Le marché a lieu une fois par semaine dans les gros villages. Ce jour-là, les rues sont très animées.

La justice au village

Au Moyen Âge, le seigneur du manoir fait les lois. Le régisseur, le bailli et le sous-bailli les font respecter. Le seigneur entend les plaintes des villageois; il règle les conflits et décide des punitions pour ceux qui ne respectent pas les lois.

La justice est rendue dans la grande salle du manoir. Quand le seigneur est absent, le régisseur le remplace. Les serfs n'ont pas le droit de témoigner. Cependant, le sous-bailli ou le bailli peuvent parler en leur nom.

Il y a peu de prisons au Moyen Âge. Les crimes graves sont immédiatement et durement punis. Par exemple, on coupe la main de la personne qui a volé plusieurs fois. On pend les criminels ou on leur coupe la tête.

Pour les petits délits, il faut payer une amende au seigneur. Parfois, les prisonniers sont mis au **pilori** : un cadre en bois qui les empêche de bouger. Les passants se moquent d'eux, les critiquent et leur jettent des aliments pourris.

Notre héritage

La plupart des lois du Canada* viennent de la common law anglaise. Elle a été imposée en 1066, quand Guillaume le Conquérant, duc de Normandie, est devenu roi d'Angleterre. Appelée *comune ley* en anglo-normand, c'est la loi commune du royaume.

La common law s'appuie sur la tradition – l'ensemble des décisions prises par les cours de justice. Pour rendre un jugement, le juge fait référence aux décisions antérieures. Aujourd'hui la common law inclut aussi les lois.

La Cour suprême est la plus haute cour du Canada.

*Les autres lois – le code civil – ont été apportées au Québec par les colons français.

Je pose des questions

En posant des bonnes questions, on peut apprendre beaucoup de choses sur les gens, l'histoire et les événements. Il y a deux types de questions : les questions factuelles permettent d'obtenir des faits précis; les questions à développement fournissent des informations détaillées et des explications. Les deux types de questions sont utiles. Tout dépend de l'information recherchée.

Questions factuelles

En général, les questions factuelles servent à obtenir des réponses courtes et précises. Elles commencent souvent par les mots :

- Qui
- Quoi
- Énumérez
- Où
- Quand

Questions à développement

Les questions à développement exigent de la réflexion. On ne peut pas y répondre par oui, non ou un simple fait. Elles permettent d'obtenir des réponses détaillées et (ou) des explications. Elles commencent souvent par les mots :

- Expliquez
- Comment
- Comparez
- Donnez un exemple
- Décrivez
- Pourriez-vous
- Pourquoi

Quand tu prépares des questions, demande-toi quels types de réponses tu veux obtenir : des simples faits, des explications ou des descriptions?

Faire ◊ Discuter ◊ Découvrir

1. Jouez au jeu des 10 questions. Formez des petits groupes de 3 ou 4 élèves.
   a) Un-e membre du groupe choisit le rôle d'un villageois ou d'une villageoise au Moyen Âge. L'élève doit se préparer à répondre aux questions des autres en utilisant le contenu des chapitres 1 et 2.
   b) Ensemble, les autres membres du groupe rédigent 10 questions pour tenter de deviner l'identité de leur camarade.

J'utilise mes connaissances

Compréhension des concepts

1. Utilise le contenu de l'Introduction et des chapitres 1 et 2 pour expliquer, dans ton cahier, les principales différences entre les serfs et les personnes libres.
2. Recopie le diagramme ci-dessous dans ton cahier. Complète-le pour montrer que la religion jouait un rôle important dans la vie du village médiéval. Ajoute d'autres parties au diagramme, si nécessaire.

3. Relève les mots nouveaux du chapitre 2 dans la partie Vocabulaire de ton cahier. Ajoute des diagrammes ou des dessins pour mieux te souvenir des mots et des définitions.

Maîtrise des habiletés de recherche et de communication

4. Utilise les ressources de la bibliothèque (ou du site www.chez.com/ivn/paysan/paysan.htm#outil) pour en savoir plus sur les outils des paysans au Moyen Âge. Résume ce que tu as trouvé en 5 ou 6 phrases. Inclus des dessins ou diagrammes, si possible.

Application des concepts et habiletés à différents contextes

5. Crée un collage de mots sur une feuille de 28 cm x 43 cm (11 po x 17 po). Réfléchis aux mots qui décrivent la vie du village au Moyen Âge. Écris-les sur toute la feuille. Utilise des couleurs, un lettrage intéressant et (ou) des illustrations. Partage ce projet avec un-e autre élève.
6. Imagine que tu vis dans un village médiéval. Rédige un court paragraphe décrivant une journée typique pour ton journal personnel.

Projet médiéval

1. Au sein de vos groupes de travail, faites la liste des jeux que vous avez examinés. Discutez des avantages et des inconvénients de chaque type de jeu. Est-il amusant? Facile ou difficile à créer? Aidera-t-il les élèves à mieux connaître le Moyen Âge?
2. Choisissez le type de jeu que vous voulez créer. Vous pouvez vous inspirer de plusieurs jeux.
3. Revoyez le chapitre 2 sur la vie au village. Repérez les renseignements importants qu'il faudra inclure dans votre jeu. Puis, rédigez des questions et des réponses. Rangez-les dans votre dossier pour continuer à y travailler.

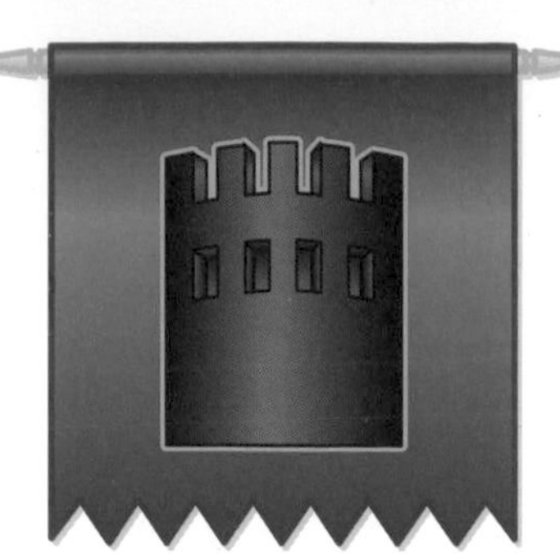

Chapitre 3
Le château médiéval

Au Moyen Âge, les rois et les nobles puissants construisent des châteaux pour se protéger et montrer leur pouvoir. Ils vivent parfois dans leur château et parfois dans leur manoir, à la campagne. En général, les autres nobles n'ont pas de château. Ils se placent sous la protection d'un seigneur. En retour, ils doivent le soutenir et lui fournir des soldats.

À retenir!

Sujets traités au chapitre 3 :
- l'évolution du château
- la construction d'un château
- la construction d'un modèle
- l'intérieur d'un château
- le plan d'un château

Vocabulaire

motte et basse-cour
donjon
courtine
siège
maçon
salle haute
latrines
garde-robe
douve
pont-levis
herse

L'évolution du château

À l'origine, le château est construit sur un site facile à défendre : une colline ou une falaise, par exemple. Puis, les armes et les méthodes de guerre évoluent. Le château se transforme aussi.

Vers 1000

- On construit une tour de bois sur une petite colline artificielle (une **motte**) et on l'entoure d'un mur de protection (ou palissade).
- Au pied de la colline, il y a un endroit clôturé (la **basse-cour**) qui sert à protéger les villageois en cas d'attaques.

Les premiers châteaux forts à motte et à basse-cour sont en bois.

Vers 1170

- Le seigneur et sa famille vivent dans une tour en pierre (le **donjon**).
- Des murs de pierre (les **courtines**) entourent l'ensemble du château.
- On ajoute des tours le long des courtines pour mieux se défendre.
- Les maisons, les cuisines, les puits, les étables et les autres bâtiments sont construits à l'intérieur des courtines.
- Le château doit être autosuffisant en cas de **siège** (quand l'ennemi encercle le château et empêche l'entrée des provisions).

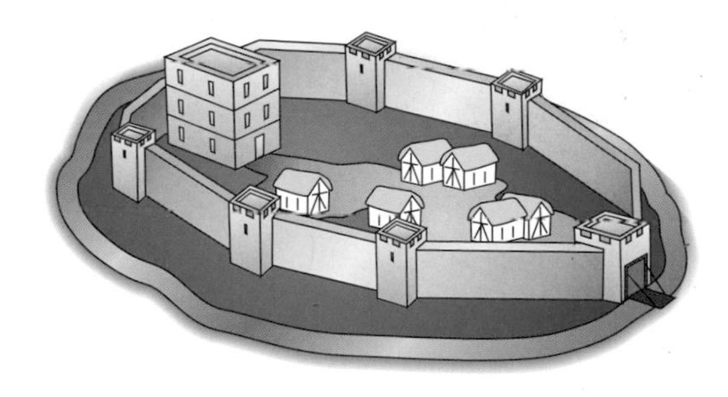

On ne peut plus mettre le feu aux murs de pierre. C'est pourquoi on invente des machines qui lancent des quartiers de roche et des boulets de pierre contre les courtines.

Vers 1300

- Les châteaux sont beaucoup plus grands et les murs plus épais. Les tours sont rondes.
- La maison seigneuriale est plus grande et plus confortable.

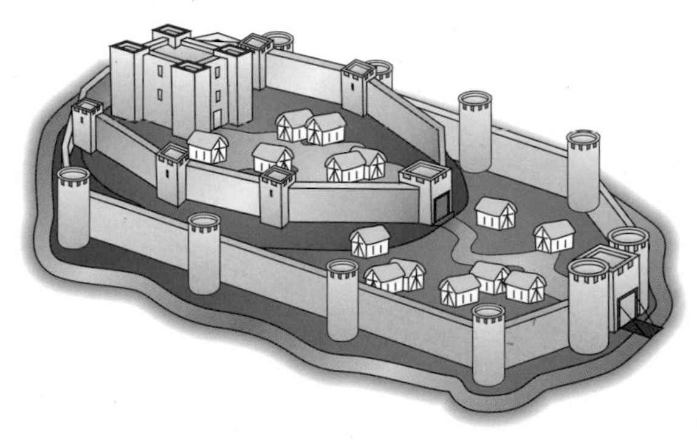

Les attaquants creusent des mines sous le mur pour l'affaiblir. Les tours rondes résistent mieux à cette stratégie.

Vers 1400

On a inventé des canons. Ils tirent des boulets de pierre qui peuvent détruire les murs. La guerre se transforme. De plus en plus, les soldats se battent sur des champs de bataille, loin des châteaux.

La plupart des nobles retournent dans leurs manoirs. Seuls les rois et quelques nobles continuent à vivre dans des châteaux.

La construction d'un château

La construction d'un château coûte cher et peut durer plus de dix ans. Il faut beaucoup de gens, d'animaux et de machines pour faire ce travail. Les serfs du manoir doivent y contribuer. Au village, il y a donc moins d'hommes pour les travaux des champs. Les serfs défrichent le sol, coupent les blocs de pierre, abattent les arbres et font le travail de force. Les artisans sont payés, mais les serfs travaillent gratuitement, en général.

Il faut des fondations profondes pour soutenir le poids du château. Les tranchées sont remplies de cailloux ou creusées jusqu'au rocher. Le mur extérieur est double et mesure jusqu'à 6 mètres de large à la base. Il est rempli de rochers et de débris.

Les charpentiers bâtissent des échafaudages en bois. Quand la construction des murs de pierre est terminée, ils fabriquent aussi les planchers et les charpentes de bois.

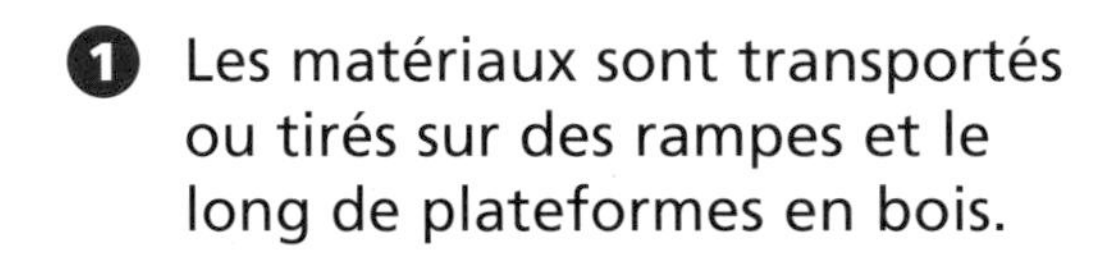

1. Les matériaux sont transportés ou tirés sur des rampes et le long de plateformes en bois.
2. On utilise des grues, des poulies et des leviers pour soulever les pierres et les autres matériaux.
3. Pour assembler les pierres, on utilise du mortier (un mélange de sable, de chaux et d'eau).
4. La « cage à écureuil » sert à soulever les gros blocs de pierre. Elle est constituée d'une roue. Une, deux ou trois personnes marchent à l'intérieur de cette roue, qui entraîne une corde reliée à un mât et une poulie.

Maçons et tailleurs de pierre

Au Moyen Âge, les mots n'ont pas le même sens qu'aujourd'hui : le **maçon** désigne fréquemment l'architecte; le tailleur de pierre est souvent un sculpteur, parfois aussi un entrepreneur. Ensemble, ils construisent d'énormes édifices de pierre – des châteaux et des cathédrales.

Il faut suivre un long apprentissage et de nombreuses étapes pour devenir maçon. Certains se spécialisent. Le scieur de pierre découpe les blocs et les prépare pour le tailleur de pierre; le sculpteur est aussi appelé tailleur d'images.

On utilise des outils, des machines, des hommes et des animaux pour soulever et déplacer les matériaux de construction. L'électricité n'existe pas encore. La pierre est sciée et taillée à la main. Les outils ressemblent beaucoup à ceux que nous utilisons aujourd'hui.

Le maître maçon planifie et supervise le travail. Il dessine aussi des plans.

Les maçons libres sont des ouvriers spécialisés qui sont libres de travailler pour différents maîtres.

Le tailleur de pierre découpe les gros blocs de pierre.

Construit en bois et en pierre, le château Himeji est le plus grand château médiéval existant encore au Japon. Il montre la puissance des seigneurs et guerriers japonais appelés samouraïs. Il est inscrit au Patrimoine Culturel Mondial de l'UNESCO.

Notre héritage

On utilise encore ces outils comme les bâtisseurs du Moyen Âge.

Faire ◆ Discuter ◆ Découvrir

1. Dessine les outils que tu reconnais, pages 38 et 39. Écris leur nom et décris comment on les utilisait à un-e partenaire.

Je construis un modèle

Le modèle est la reproduction d'un objet en plus petit. Il montre les éléments importants de l'original – mais plus ou moins simplifiés. Par exemple, les roues du modèle réduit d'une automobile tournent, mais le moteur ne fonctionne pas.

Modèle en trois dimensions

1. Analyse les caractéristiques de l'objet original. Si tu ne peux pas voir l'objet lui-même, utilise des photos ou des diagrammes.
   - Quels sont les éléments essentiels qu'il faut montrer?
   - Quels détails peut-on simplement dessiner ou supprimer?
   - Faut-il faire des éléments mobiles?
2. Choisis les dimensions ou l'échelle de ton modèle par rapport à l'original. Par exemple, le modèle d'une maison de 10 m x 20 m peut mesurer 10 cm x 20 cm. Tous les éléments du modèle – les fenêtres, les portes, les murs, le toit, par exemple – doivent être à la même échelle.
3. Choisis les matériaux de construction (papier, carton, plastique, bois, ficelle, par exemple). Comment vas-tu les assembler (colle, ruban adhésif, par exemple)?
4. Choisis comment tu vas ajouter des détails et représenter les matériaux, les couleurs, les textures de l'original (ex. colle et sable; ficelle ou morceaux de carton; ajouter de la peinture; découper des ouvertures).
5. Planifie la construction. Mesure et découpe les pièces.
6. Exerce-toi à résoudre certains problèmes. Par exemple, comment vas-tu fixer les parties mobiles? Comment vas-tu renforcer la charpente pour que le modèle tienne debout? Modifie ton plan, au besoin.
7. À titre d'essai, assemble les éléments avec du ruban adhésif. Décore le modèle ou ajoute les détails avant de coller toutes les pièces définitivement.
8. Place le modèle sur une base pour pouvoir facilement le déplacer, l'exposer et le ranger.

Je fais une cage à écureuil

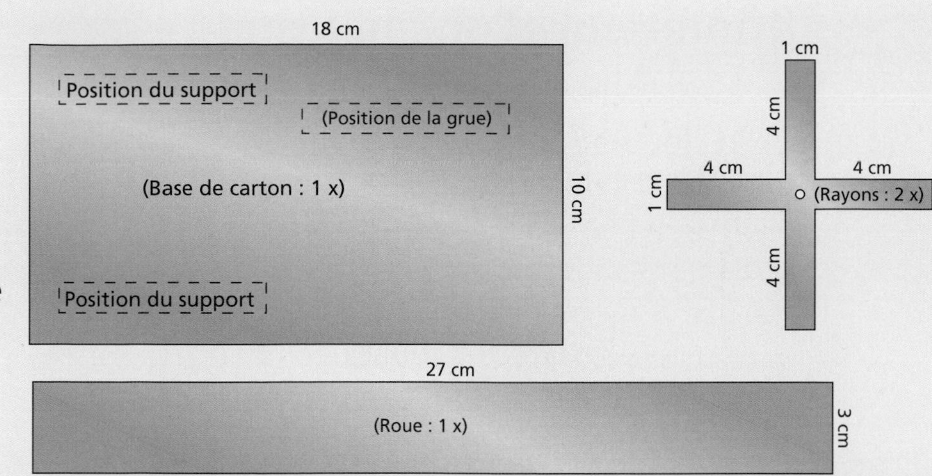

Fournitures :

- carton
- 50 cm de ficelle
- 10-12 bâtonnets
- 1 brochette ou tige de bambou
- deux petites poulies
- colle blanche, ruban
- ciseaux
- crayon, règle

1. Sur une feuille de carton, mesure, dessine et découpe la roue, les rayons (2 croix) et la base d'une cage à écureuil (voir ci-dessus).
2. Dessine ou peins des marches sur la bande qui correspond à la roue. Forme un cercle et colle bien l'extrémité. Perce un trou au centre de chaque croix (rayons). Assemble et colle la roue (voir **A**).
3. Coupe les bâtonnets aux dimensions qui conviennent. Assemble et colle les deux extrémités du support de la roue (voir **B**). Colle les 2 côtés du support sur la base de carton à 6 cm l'un de l'autre. Coupe un morceau de tige de 9 cm pour former l'axe de la roue. Fais-le passer dans le trou des supports.
4. Assemble et colle la cage (voir **C**). Colle le bas sur la base de carton.
5. Attache une poulie à chaque extrémité de la grue (adapte ta méthode en fonction du type de poulie). Colle une des extrémités de la ficelle à l'axe de la roue. Puis, enroule la moitié de la ficelle sur cet axe. Fais passer la ficelle par les deux poulies de la grue et attache le poids à soulever.

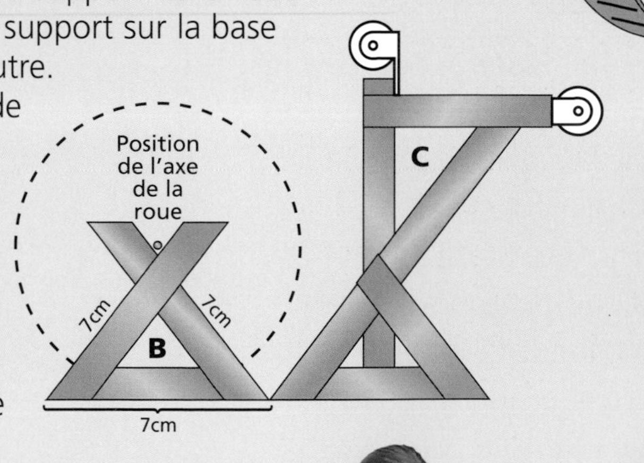

L'intérieur d'un château

Les premiers châteaux ne sont pas très confortables. Ce sont des forteresses qui servent à défendre les familles nobles. Les chevaliers et les soldats restent au château en cas de danger. Il y a peu de meubles. Les pièces sont souvent froides. Vers 1200, le seigneur et la dame habitent des pièces bien meublées. On se chauffe à l'aide d'énormes cheminées et on s'éclaire à la bougie.

Souvent, les appartements privés du seigneur et de la dame sont dans le donjon. L'illustration de droite montre les pièces de la famille dans une des tours.

La **salle haute** est un lieu réservé à la famille du seigneur et à ses domestiques personnels. Les femmes font de la tapisserie, jouent de la musique ou peignent pendant que les enfants jouent sans bruit. Le seigneur examine peut-être les livres de comptes du domaine ou il reçoit un visiteur.

1. la garde-robe de la dame, qui sert à ranger des vêtements et des draps
2. la chambre du seigneur et de la dame
3. la salle haute
4. le cellier, qui sert à ranger les objets de valeur

Au début, les planchers de bois sont souvent couverts de tapis en jonc. Plus tard, les riches seigneurs mettront des tapis de laine dans leurs appartements privés.

Dans les pièces, il y a des tabourets, des bancs et des coffres qui contiennent des vêtements, des draps et des objets de valeur.

On a construit des cheminées dans les murs. La fumée est évacuée par le toit.

Les fenêtres sont petites et les murs sont très épais. On utilise des bougies de cire ou de suif (graisse animale) pour s'éclairer.

Le lit se compose d'un matelas de plumes, posé sur un cadre et des bandes de cuir. Pour avoir plus d'intimité et se protéger du froid, on a ajouté des rideaux. Sous le lit, il y a parfois une couchette basse qu'on peut tirer et qu'on utilise surtout pour les enfants ou les domestiques.

Les murs sont plâtrés et badigeonnés à la chaux. Certains sont décorés de motifs ou de peintures murales. On recouvre aussi les murs de tentures, qui protègent des courants d'air et qui ajoutent de la couleur aux pièces.

Les toilettes s'appellent les **latrines**. Ce sont simplement des trous percés dans la pierre ou dans une planche de bois suspendue au-dessus des douves du château ou de fosses spéciales. Elles sont nettoyées de temps en temps par un domestique. Le seigneur a parfois des toilettes privées, appelées aussi **garde-robe**.

En général, l'étage inférieur est réservé aux celliers (caves servant à garder la nourriture au frais). Parfois, on y garde aussi les prisonniers.

La grande salle du château est le lieu de toutes les grandes réunions. C'est là qu'il y a les banquets et les fêtes. Le seigneur, la dame et les invités d'honneur sont assis sur une estrade surélevée.

Tous les jours, le seigneur, sa famille et les chevaliers vont prier à la chapelle du château.

Faire ◊ Discuter ◊ Découvrir

1. Examine l'illustration de la page 42. Écris 4 indices sur une feuille de papier. Chaque phrase commencera par : « Trouve ... ». Échange ta liste avec un-e partenaire. Voyez qui peut trouver les quatre réponses le plus vite.

Plan d'un château

Le château médiéval doit être autosuffisant. C'est pourquoi il se compose de nombreuses parties.

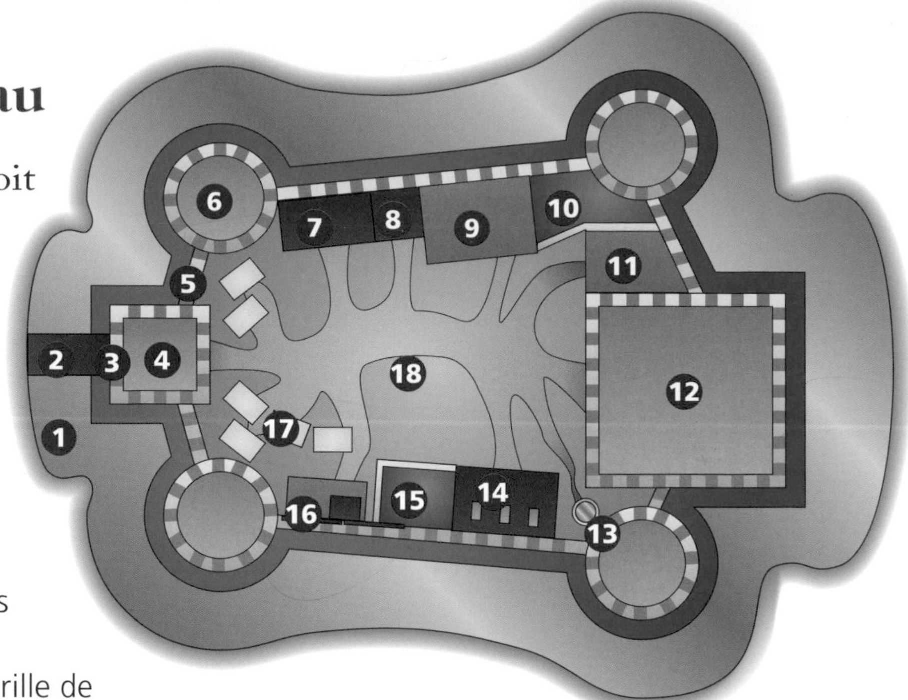

1. La **douve** est un fossé profond. Les douves sont remplies d'eau quand la construction du château est terminée.
2. Le **pont-levis** est le pont mobile construit au-dessus des douves.
3. La **herse** est une lourde grille de fer ou de bois garnie de pointes de fer, qu'on peut glisser de haut en en bas pour défendre l'entrée du château.
4. Une tour-porche garde l'entrée du château.
5. L'ensemble du château est protégé par d'épais murs de pierre : les courtines.
6. Les étages sont reliés par des escaliers en spirale.
7. Les étables abritent les chevaux de guerre, de chasse et de selle.
8. Les armures et les armes du seigneur et de ses chevaliers sont fabriquées et réparées par le forgeron dans l'armurerie.
9. Dans certains châteaux, les appartements privés du seigneur et de la dame, la chambre haute et 10. le jardin sont séparés du donjon.

Le château de Bodiam a été construit en 1385.

11. La plupart des châteaux ont une chapelle.
12. Dans le donjon, il y a une grande salle où les chevaliers prennent leurs repas. En général, les appartements seigneuriaux se trouvent aux étages supérieurs du donjon.
13. Un puits couvert fournit l'eau du château.
14. Les cuisines sont rattachées au château ou sont dans un autre bâtiment pour éviter les risques d'incendie. Le four se trouve dans les cuisines ou à part.
15. Dans les jardins, on cultive des légumes, des herbes aromatiques et des plantes médicinales.
16. Dans certains châteaux exposés au vent, un moulin à vent transforme le blé en farine. Dans les châteaux plus anciens, on trouve des moulins à eau.
17. Beaucoup de gens vivent à l'intérieur du mur d'enceinte du château : des artisans, des domestiques et les serfs qui s'occupent du bétail et des champs du seigneur.
18. La basse-cour est une cour fermée. Il y a beaucoup de bâtiments le long des murs intérieurs.

J'utilise mes connaissances

Compréhension des concepts

1. Revois le chapitre. Identifie et explique les différents éléments du château qui servaient à protéger ses habitants. Rédige ces informations sous forme de tableau et classe-le dans ton cahier.
2. Compare une des pièces du château et celle d'une maison de village (page 10). Indique un point commun et deux différences.
3. Relève les mots nouveaux du chapitre 3 dans la partie Vocabulaire de ton cahier. Ajoute des diagrammes ou des dessins pour mieux te souvenir des mots et des définitions.

Maîtrise des habiletés de recherche et de communication

4. Consulte la bibliothèque ou Internet pour en savoir plus sur un château historique. Dans tes notes, relève cinq faits que tu trouveras.
5. Crée un diorama d'*une pièce* de château.
6. Dessine un meuble de château. Crée un modèle à partir de ton dessin (voir la page 40 pour en savoir plus).

Application des concepts et habiletés à différents contextes

7. Utilise un diagramme ou tableau pour comparer la technologie utilisée pour construire les châteaux et celle qui permet de construire des grands édifices au Canada, aujourd'hui.
8. Associe-toi à un-e partenaire pour examiner les éléments de construction modernes qui nous protègent des cambriolages.

rojet médiéval

1. Au sein de vos groupes de travail, réfléchissez au type de jeu que vous avez décidé de créer. Discutez de tout changement que vous voulez apporter à votre idée initiale.
2. Faites la liste des tâches à effectuer pour votre projet.
3. Déterminez les éléments que vous devrez inclure en plus du plateau. Par exemple : pions, cartes, dés, cartes de pointage, règles du jeu. Prenez des notes sur les décisions de votre groupe et rangez-les dans votre dossier.
4. Identifiez les renseignements importants du chapitre 3 sur le château médiéval. Rédigez des questions et des réponses. Rangez-les dans votre dossier pour continuer à y travailler plus tard.

Chapitre 4
La vie au château

Au Moyen Âge, des gens de tous les niveaux de la société vivent au château : le seigneur et la dame; des chevaliers, les **demoiselles de compagnie** de la dame, les **écuyers** qui se préparent à devenir chevaliers; des artisans, des domestiques, un prêtre, des serfs et des paysans. Souvent, toutes sortes d'activités ont lieu en même temps – travail, éducation, divertissements.

À retenir!

Sujets traités au chapitre 4 :

- les habitants du château
- la nourriture et les vêtements du seigneur et de la dame
- comparer pour mieux apprendre
- le rôle du seigneur du manoir
- la dame du manoir et ses enfants
- le travail au château
- la chevalerie
- les divertissements
- l'éducation et la vie religieuse

Vocabulaire

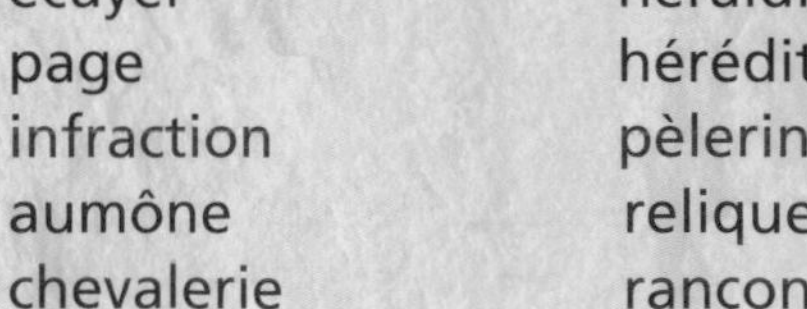

dame de compagnie
écuyer
page
infraction
aumône
chevalerie
cotte de mailles
héraldique
héréditaire
pèlerin
relique
rançon

La communauté du château

Les premiers châteaux sont des forteresses construites pour la guerre. Les chevaliers et les soldats viennent au château pour s'entraîner. Ils le défendent en cas d'attaque. (Les loger et les nourrir en permanence coûterait bien trop cher.)

Le seigneur et sa famille habitent le château quand il est utilisé. Le reste du temps, ils vivent dans leurs manoirs.

En général, les garçons et les jeunes nobles sont envoyés dans le château d'une autre famille. C'est là qu'ils reçoivent une partie de leur éducation et de leur formation. Le **page** est un jeune garçon qui est au service du seigneur ou de la dame. En général, il deviendra écuyer, puis chevalier.

Dans les châteaux de la haute noblesse, la dame est entourée de jeunes filles nobles. Ce sont ses dames de compagnie. Elles l'aident aussi à faire différentes tâches.

Les officiers du seigneur – le régisseur, par exemple – viennent aussi de familles nobles. Les liens entre les familles sont importants.

Dans les grands châteaux, il peut y avoir une centaine de domestiques – des garçons et des hommes, surtout. Ils font toutes sortes de travaux. Dans certains châteaux, seules les domestiques chargées du linge et les servantes de la dame sont des femmes.

Les châteaux doivent être autosuffisants. Des artisans construisent, fabriquent et réparent tout ce qui est nécessaire au quotidien. Les serfs s'occupent des animaux; ils travaillent dans les cuisines et font le travail manuel.

Les repas

De nombreux artisans – cuisiniers, boulangers, bouchers et brasseurs – produisent des aliments pour la communauté du château. Dans les cuisines, les domestiques préparent et servent les repas.

Le pain est à la base de l'alimentation. Les nobles aiment le pain blanc. Les domestiques et les soldats mangent un pain lourd et foncé. Pour le petit déjeuner, ils trempent le vieux pain dans du vin, de la bière ou du lait.

En général, les habitants du château mangent à peu près les mêmes céréales, légumes et produits laitiers que les villageois. Les chasseurs fournissent du gibier pour les banquets.

Épices
poivre
cannelle
girofle
gingembre
muscade
safran

Les nobles aiment les épices, les sucreries et les sauces riches. Les épices sont des produits de luxe très coûteux. Ils servent à assaisonner les mets servis aux invités importants.

Les habitudes de table

Le repas de midi est le repas principal. Il est annoncé au son des trompettes. Tous les gens mangent ensemble dans la grande salle.

Souvent, les viandes sont cuites sous forme de pâtés en croûte décorés. Les volailles et autres animaux sont rôtis entiers et décorés. Les plats sont présentés solennellement à la table du seigneur.

Les aliments sont servis dans des plats communs. En général, une grosse tranche de pain rassis sert d'assiette. À la fin du repas, on distribue souvent ces tranches couvertes de sauce aux pauvres gens.

Au Moyen Âge, les gens portent toujours un couteau. Ils l'utilisent pour couper les aliments. La nourriture est servie avec des cuillères, mais la fourchette n'existe pas. On mange avec les doigts. On met les os dans un bol ou on les jette aux chiens.

Au Moyen Âge, le sel sert à conserver la nourriture. Il est plus précieux que l'or. Sur cette table, le contenant en forme de bateau contient du sel. La salière n'est utilisée qu'à la table du seigneur, qui est « au dessus du sel »; on dit que les autres invités sont « sous le sel ». En anglais, ces expressions servent à indiquer le rang des gens.

Les vêtements

Au début du Moyen Âge, la dame et les autres femmes font tous les vêtements de la famille. Elles les décorent aussi de broderies.

Vers la fin du Moyen Âge, les styles sont plus élaborés. Les vêtements servent à montrer le rang et la puissance. De magnifiques étoffes – la soie, par exemple – sont importées. Certains marchands viennent au château pour montrer des tissus au seigneur et à la dame. Autrement, les tissus sont achetés à la foire; des tailleurs confectionnent les vêtements.

Les nobles ne s'habillent pas seuls. Le seigneur est aidé par un écuyer et la dame par une dame de compagnie.

La longueur de la chemise et du surcot est un signe de richesse. Les longs vêtements montrent que la personne peut acheter beaucoup de tissu et qu'elle n'a pas besoin de travailler.

On porte des semelles de bois pour protéger les chaussures de la boue des chemins.

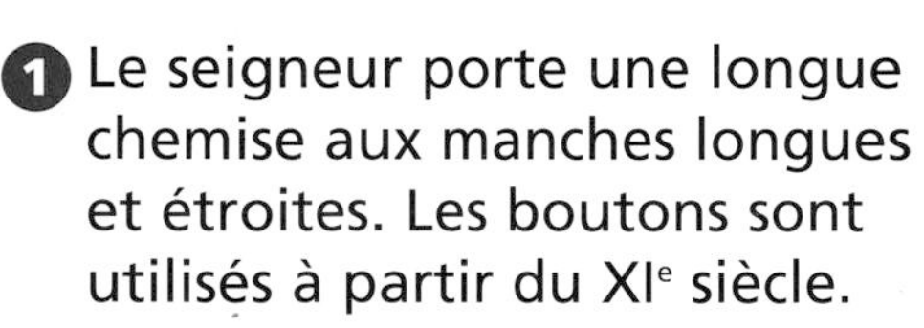

1. Le seigneur porte une longue chemise aux manches longues et étroites. Les boutons sont utilisés à partir du XIe siècle.
2. Sur sa chemise, il porte une longue cape, le « surcot », avec ou sans ceinture. Elle est souvent fermée au cou par une broche ou fibule.
3. Les pieds et les jambes sont couverts par les chausses. Ce sont des bas de laine ou de tissu maintenus par des jarretières (des cordons noués au-dessus ou au-dessous du genou, à l'origine).
4. L'argent est rangé dans une petite bourse, attachée à la ceinture.
5. Les bagues et autres bijoux sont des signes de richesse et d'importance.

1. La dame porte une longue chemise fine qui descend jusqu'aux pieds.
2. Sur cette chemise, elle porte une tunique à manches appelée cotte et une autre tunique sans manches : le surcot.
3. Sur la tête, elle porte une coiffe et un voile. Ce signe indique qu'elle est mariée. Les jeunes filles portent souvent les cheveux longs.

La comparaison

Faire une comparaison, c'est trouver des ressemblances et des différences entre plusieurs choses ou plusieurs personnes. On peut comparer tout ce qui a des points communs. La comparaison des ressemblances et des différences nous aide à tirer une conclusion, à former une opinion ou à voir une situation sous un jour nouveau.

Le diagramme ou tableau d'organisation est une façon de présenter les comparaisons (voir l'exemple ci-dessous).

1. Identifie ce que tu compares; indique-le dans les colonnes **A** et **B**.
2. Dans la colonne du centre, fais la liste des critères ou éléments de la comparaison.
3. Donne des informations dans les deux colonnes.
4. Examine ces informations pour trouver les points communs et les différences.
5. Rédige une conclusion d'après cet examen.

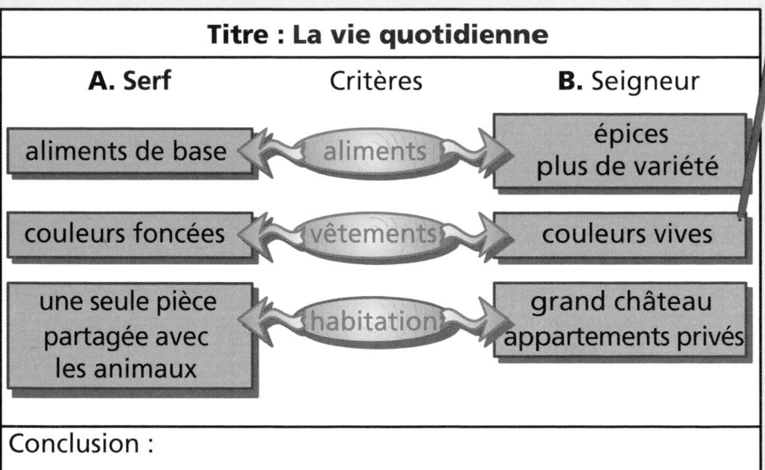

Faire ◆ Discuter ◆ Découvrir

1. Fais un tableau comparatif dans ton cahier. Compare *La vie dans un château médiéval* et *La vie dans une maison moderne*. Trouve au moins 4 critères de comparaison. Remplis ton tableau. N'oublie pas de rédiger une conclusion pour dire quelle vie tu préfères et pourquoi.
2. Dans ton cahier, rédige deux phrases de conclusion pour le tableau ci-dessus.

Le seigneur

Au Moyen Âge, le seigneur doit soutenir le roi; prendre des décisions pour le manoir et sa famille; se conduire en chef.

Le seigneur doit se préparer au combat, faire la guerre et fréquenter la cour du roi. Souvent, il parcourt ses terres à cheval pour surveiller le travail et prendre des décisions. Quand il est au château ou au manoir, il rend la justice dans la grande salle.

Dans la cour de justice, il juge les crimes graves et les petites **infractions**. Il y a beaucoup de règles. Les vols, les blasphèmes, les excès d'alcool et les actes violents sont punis par une amende ou la mise au pilori. Parfois, les coupables sont fouettés en public. Les crimes graves sont sévèrement punis.

Le seigneur inspecte les armureries et les étables; il assiste aux tournois où les chevaliers et les écuyers manient l'épée. S'il sait lire, il examine les documents et les comptes. Les régisseurs, les baillis et les maîtres servants donnent souvent un rapport oral. Ils suggèrent certains achats ou changements au seigneur. C'est lui qui prend les décisions.

Il y a souvent des invités et des voyageurs au château. Quand ils sont nobles, le seigneur les accueille à la table d'honneur. Les autres visiteurs sont placés avec les personnes de leur rang.

Le seigneur et la famille seigneuriale prient à la chapelle. Le seigneur donne aussi l'**aumône** au pauvre – de l'argent, des aliments, des vêtements ou des chaussures, par exemple.

La dame

La dame s'occupe de la vie domestique : des affaires de la famille et des servants du château. Elle remplace aussi le seigneur quand il est à la guerre. Elle peut organiser la défense du château en cas d'attaque. Mais, en général, ses responsabilités sont plus paisibles.

Rôle de la dame
- obéir au seigneur
- surveiller les enfants et les femmes
- commander les fournitures
- superviser le travail des domestiques
- surveiller la confection des tissus et des vêtements (cardage ou peignage, filage, tissage, teinture, couture et broderie)
- recevoir les invités

Les enfants

Plusieurs domestiques aident la dame à élever et à surveiller ses enfants. En général, le père est responsable de la discipline – parfois sévère.

Dans les familles nobles, les enfants apprennent à lire, à écrire et à compter. Les filles étudient la danse, le chant et plusieurs instruments de musique. Parmi les jouets, il y a les soldats de plomb, les chevaux à bascule et les poupées.

Les enfants se préparent à devenir adultes. À l'âge de sept ans, la plupart des garçons et certaines filles sont envoyés dans une autre famille de nobles ou chez un parent. Les garçons deviennent pages; les filles sont demoiselles de compagnie et apprennent à diriger une maison.

La plupart des filles se marient entre 12 et 14 ans. Les parents arrangent le mariage avec des garçons de bonne famille. C'est une façon de créer des liens importants entre les nobles. Dans certains cas, les filles ont la permission de devenir religieuses; les garçons se font moines ou prêtres au lieu de devenir chevaliers.

Faire ◊ Discuter ◊ Découvrir

1. Fais un tableau pour résumer les devoirs du seigneur, de la dame et des enfants. Remplis-le et range-le dans ton cahier.

Le travail au château

Il y a de nombreux artisans, domestiques et autres travailleurs au château. Il y a un boulanger, un boucher et un meunier. Les charpentiers, les menuisiers et les maçons sont chargés des travaux de construction et de réparation. Il y a aussi :

Le régisseur
« J'ai les fonctions de gérant. Je m'occupe des finances du seigneur et de l'approvisionnement. »

Le chapelain
« Je suis le prêtre de la chapelle du château. J'ai les fonctions de secrétaire et de tuteur des enfants. Je rédige aussi les documents officiels et les lettres. »

Le maréchal
« Je m'occupe des chevaux des chevaliers. Le seigneur me fait confiance et me permet de participer aux décisions dans le château. »

L'armurier
« Mon atelier d'armurerie fournit un service essentiel au seigneur. Nous fabriquons et nous réparons les armes, les armures, les serrures, les clés et les autres objets en métal. »

Le fauconnier
« Je dresse et j'élève les faucons et les oiseaux de proie que le seigneur et le dame utilisent pour la chasse. »

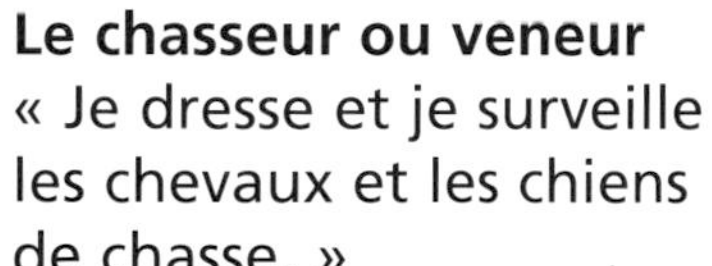

Le chasseur ou veneur
« Je dresse et je surveille les chevaux et les chiens de chasse. »

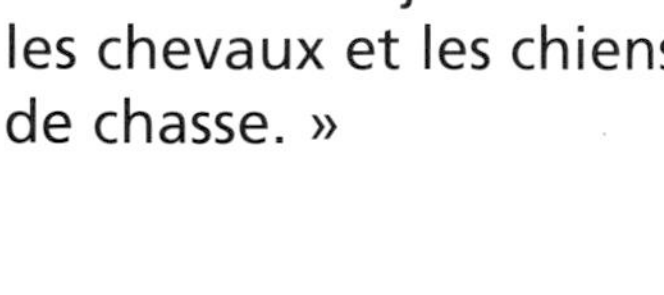

Le panetier
« Je suis responsable du pain et du garde-manger du château. »

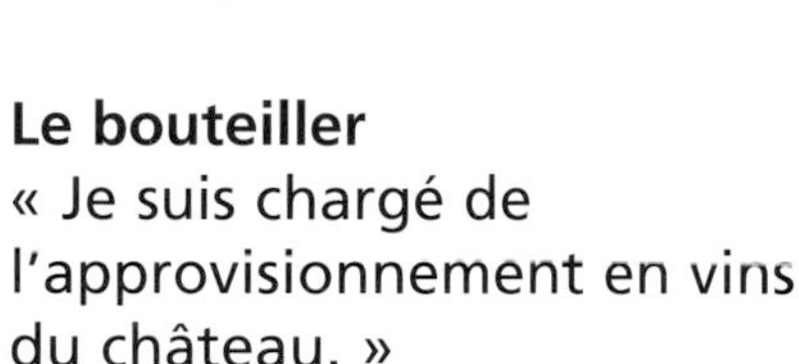

Le bouteiller
« Je suis chargé de l'approvisionnement en vins du château. »

L'échanson
« Je me tiens près du seigneur pendant les repas et je lui verse à boire. »

Le garde-linge
« Je suis responsable du linge de table. Il a une grande valeur et doit être soigneusement entretenu. »

Un palefrenier
« Les palefreniers prennent soin des chevaux – des grands chevaux de guerre jusqu'au poney de notre jeune maître. »

Faire ◊ Discuter ◊ Découvrir

1. Au sein d'une discussion de classe, examinez pourquoi il y avait tant de métiers différents dans un château.
2. Rédige un court paragraphe expliquant quel travail est le plus intéressant et pourquoi, à ton avis.

Le dernier jour d'un écuyer

Philippe et Jean sont cousins. Ils vivent au château de Banbury. Demain, Philippe deviendra chevalier. Jean, qui est encore page, l'aide à se préparer.

Jean : Excuse-moi! Je ne voulais pas te tirer les cheveux. Je suis un peu énervé.

Philippe : Je devrais être moins impatient… et garder mon calme. J'aurai besoin de la cape, Jean. Il fera froid dans la chapelle.

Jean : Il fait froid partout. Pourquoi as-tu pris un bain?

Philippe : C'est symbolique. L'eau du bain signifie que toutes mes mauvaises habitudes et mes pensées impures seront lavées. Je passerai aussi la nuit à prier seul dans la chapelle. Je dois entrer dans la chevalerie avec une âme pure et un corps propre. Je vais prêter serment devant Dieu.

Jean : Oui, mais tu as dû aussi prouver ta valeur à Sire Godefroy. Tu as été son écuyer pendant quatre ans et tu étais page avant ça. Tu as toujours su que tu serais chevalier?

Philippe : J'ai toujours voulu être chevalier. C'est aussi la volonté de mon père. Il m'a envoyé au service de Sire Godefroy pour que je sois bien entraîné. J'ai vécu des expériences extraordinaires. J'ai assisté à de nombreux tournois. Je l'ai aussi accompagné en France pour une mission secrète au nom du roi. Bien sûr, je ne peux pas en parler – sur mon honneur.

Jean : J'espère vivre une expérience comme la tienne. Un jour, peut-être… Voici ton baudrier, mais sans épée. Demain, Sire Godefroy te touchera l'épaule avec le plat de l'épée et tu seras adoubé chevalier. Alors, tu recevras ta propre épée et tes éperons.

Philippe : Oui, mon père m'a fait faire une épée. Elle est gravée et porte la devise de notre famille. Je suis honoré. Je suis reconnaissant aussi que mon père puisse fournir mon équipement de chevalier. Nous sommes mal payés, tu sais!

Jean : Mais tu peux gagner de l'argent aux tournois! À la guerre, tu peux aussi capturer des ennemis importants et réclamer d'énormes rançons.

Philippe (en riant) : Du calme, jeune guerrier. Je dois d'abord devenir chevalier et aller prier à la chapelle. Je te souhaite bonne nuit.

Jean : Moi aussi, Philippe.

Les chevaliers

Le chevalier est un guerrier qui combat à cheval. Il a juré de servir fidèlement son seigneur et son roi.

La poésie et les chansons du Moyen Âge parlent beaucoup des chevaliers. Un bon chevalier est courageux, audacieux, fidèle, sage et beau. Sa conduite est parfaite. Il protège les femmes et les faibles. C'est un bon chrétien. C'est ce qu'on appelle le code de la **chevalerie***. Les jeunes hommes essaient d'atteindre cet idéal, mais la guerre est dure et violente.

Les armes et les techniques de combat évoluent lentement au Moyen Âge. La plupart des chevaliers portent une cotte de mailles pour se protéger.

Le cheval de guerre

Le cheval de guerre doit être fort pour porter le chevalier et son armure. Il est entraîné au combat et coûte cher – plus d'une année du salaire de chevalier. Le chevalier a également besoin de chevaux pour se déplacer, pour chasser et pour transporter son armure et ses provisions. Le cheval de guerre sert uniquement à la guerre et aux tournois.

La **cotte de mailles** est un véritable tissu de métal, composé de mailles de fer. Elle est portée sur un vêtement rembourré qui protège la peau. La cotte de mailles pèse de 9 à 27 kilos.

Au début du XVe siècle, l'armure de fer est définitivement adoptée. Elle est composée de plaques de métal faites sur mesure. Les pièces sont assemblées à l'aide de lanières de cuir sur une doublure rembourrée.

*Voir le site www.chez.com/lachevalerie/codevertuchevaliers.html.

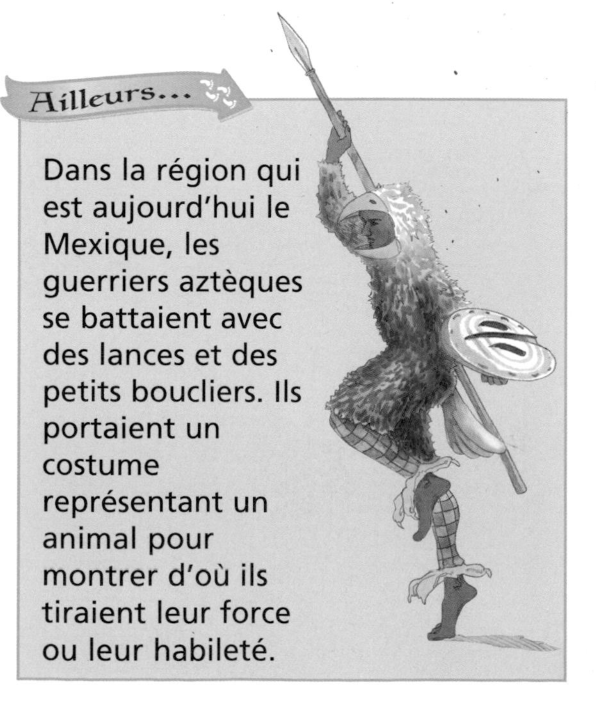

Ailleurs...

Dans la région qui est aujourd'hui le Mexique, les guerriers aztèques se battaient avec des lances et des petits boucliers. Ils portaient un costume représentant un animal pour montrer d'où ils tiraient leur force ou leur habileté.

Les tournois

Au Moyen Âge, le tournoi est une sorte de grande fête sportive. Il permet aux chevaliers de s'exercer à la guerre. En principe, ils peuvent faire des prisonniers, mais ne tuent pas. Le tournoi est l'occasion de montrer son courage et sa force.

Tous les équipiers sont payés. De plus, le vainqueur peut gagner le cheval, les armes et l'armure de son adversaire – de l'argent aussi, versé par la famille ou le manoir vaincu. Comme les sportifs professionnels d'aujourd'hui, certains chevaliers s'enrichissent en faisant des tournois.

À l'origine, les tournois ressemblent à des violentes batailles. Les chevaliers se chargent individuellement ou en équipes. Il y a beaucoup de morts et de blessés. Plus tard, l'Église et les nobles vont changer les règles pour rendre les tournois moins dangereux.

Les seigneurs et les rois organisent des tournois et invitent les chevaliers à participer. En général, les nobles assistent aux tournois dans des tribunes. Les dames offrent souvent un cadeau – un foulard ou un mouchoir, par exemple – pour porter chance à leurs chevaliers préférés.

La joute devient populaire vers la fin du Moyen Âge. Elle oppose deux chevaliers armés chacun d'une longue lance, d'un bouclier et d'une épée. Quand un chevalier tombe, son adversaire descend de cheval et ils se battent à l'épée. Quand l'un d'eux est blessé, le seigneur arrête la joute et désigne le vainqueur.

Au fil du temps, les tournois vont se transformer en festivals. On fait flotter les couleurs des adversaires. Les gens portent leurs vêtements de fêtes. Tous les spectateurs encouragent leurs concurrents préférés.

L'héraldique

L'**héraldique** est l'étude des armoiries (l'ensemble de signes, peint sur le bouclier, qui symbolise une famille ou une communauté). À l'origine, elle sert à identifier les chevaliers, cachés par leurs casques et leurs armures dans les tournois et les batailles. Chaque élément des armoiries a un nom précis.

Les armoiries sont **héréditaires.** Quand une noble dame sans frère se marie, on combine ses armoiries et celles de son mari. À la mort du père, les armoiries sont divisées en quartiers (voir ci-dessous).

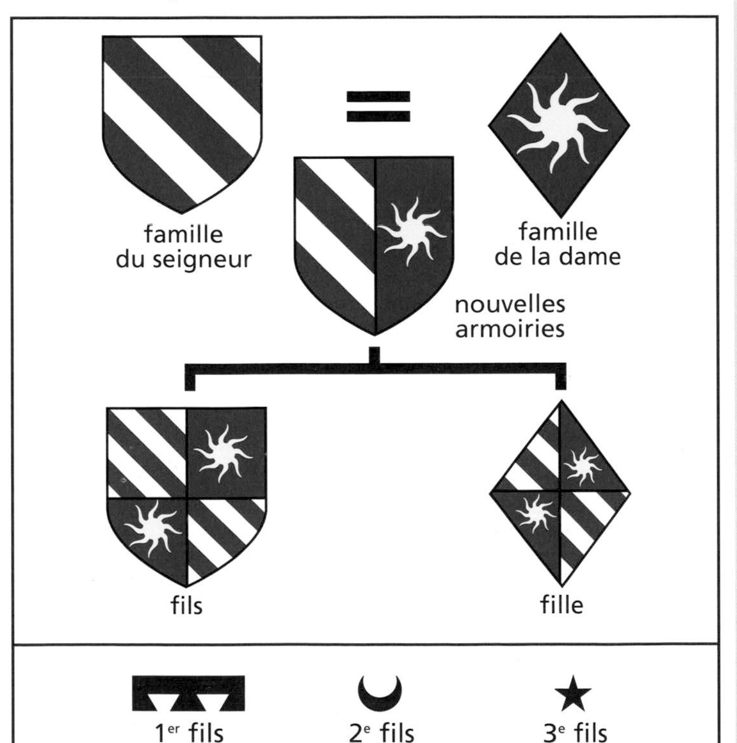

1er fils 2e fils 3e fils

Tant que le seigneur est vivant, ses fils sont identifiés par un symbole ajouté aux armoiries de la famille.

Faire ◆ Discuter ◆ Découvrir

1. Relis les pages 54–57 et relève les informations importantes sous forme de liste. Vérifie tes notes avec un-e partenaire.

Je fais un bouclier

Fournitures :

- carton (45 cm x 30 cm)
- bande de tissu (5 cm x 40 cm)
- peintures acryliques
- règle, ciseaux, colle

1. Fais une recherche sur les symboles héraldiques. Choisis tes symboles et dessine-les dans ton cahier.
2. Découpe un bouclier de carton en forme d'écu ou de diamant. Dessine et peins tes armoiries d'un côté du bouclier.
3. Coupe la bande de tissu en deux. Colle l'extrémité de chaque bande à l'envers du bouclier pour former une boucle. Tu dois pouvoir passer ton bras dans la boucle inférieure et tenir la boucle supérieure de la main. (Si le bouclier est en forme de losange, ajoute une boucle pour le suspendre et l'exposer.)

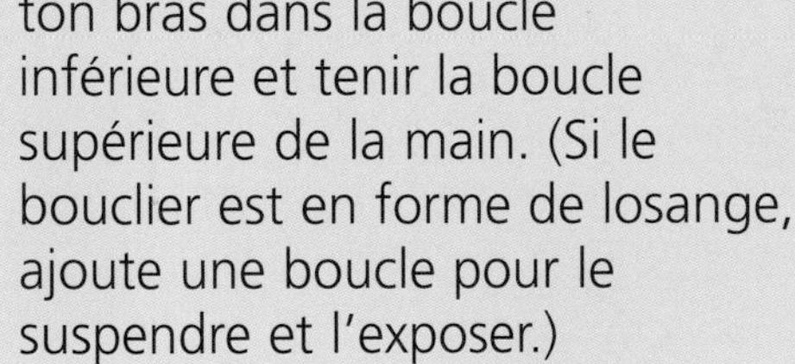

Les divertissements

Au Moyen Âge, les gens travaillent presque tout le temps. Mais il y a quelques divertissements pour les jours de fête, après la messe.

Au château, on joue à certains jeux qui rappellent les jeux d'échecs et de dames, le tic-tac-toe et le jeu de trictrac.

Les ménestrels et les troubadours racontent des histoires et chantent des ballades sur les héros et les rois.

Les fous ou bouffons jouent la comédie dans la grande salle des châteaux. Parfois, ils se moquent du seigneur.

Mais ils doivent être prudents pour éviter les punitions.

La lecture ne fait pas encore partie des loisirs. Les livres sont rares et peu de gens savent lire.

Les conteurs sont très appréciés. Comme les chanteurs ambulants, ils sont payés pour divertir les invités à l'occasion des banquets, ou le seigneur et sa dame dans leurs appartements privés.

Le tennis, le croquet et le jeu de quilles existaient déjà au Moyen Âge.

Les mots anglais *croquet* et *tennis* viennent de l'ancien français. Par politesse, avant de frapper la balle, le serveur criait : « Tenez » (du verbe tenir).

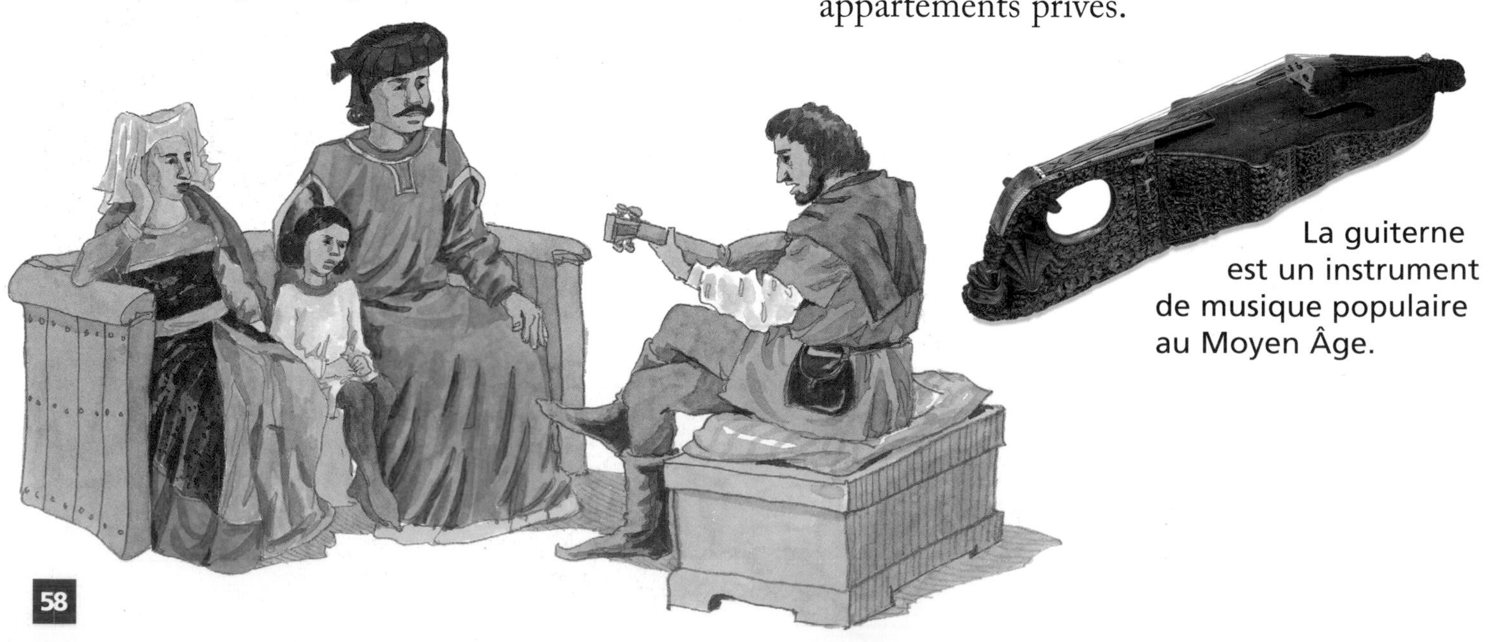

La guiterne est un instrument de musique populaire au Moyen Âge.

La vie religieuse

Au Moyen Âge, la majorité des Européens sont chrétiens. L'Église catholique est l'église officielle de l'Europe occidentale. Elle est représentée par des dirigeants puissants : le pape, les cardinaux, les archevêques, les évêques et les abbés. Les religieuses, les moines et les prêtres de village forment le groupe le plus nombreux (le bas clergé).

Les religieuses et les moines portent des longues robes attachées à la taille par une corde. Les religieuses portent le voile : une coiffe qui cache les cheveux et la gorge. Les moines portent la tonsure : un petit cercle rasé au sommet du crâne.

Le pape

Cardinaux et archevêques

Évêques et abbés

Religieuses, moines et prêtres

Les hommes et les femmes peuvent choisir la vie religieuse. Ils doivent donner tous leurs biens à l'Église et faire vœu de pauvreté. Ils promettent aussi de ne pas se marier et de toujours obéir aux règles de l'Église. Les moines et les religieuses vivent dans des communautés. Ils consacrent leur temps à l'étude, à la prière et au travail. Certaines communautés religieuses dirigent aussi des écoles et des hôpitaux.

On sonne les cloches pour appeler les moines et les religieuses à l'heure des repas et des prières. Il y a sept services religieux chantés au cours de la journée et de la nuit. Pendant les repas, une personne lit à haute voix pendant que les autres mangent en silence.

1. Relis la page 6. Représente l'organisation de l'Église sur un des côtés de la pyramide que tu as créée, page 7.

Les pèlerinages

Les **pèlerins** sont des voyageurs qui partent vers un lieu saint dans un but religieux. Certains pèlerins souhaitent remercier Dieu; d'autres recherchent la guérison ou un miracle. Au Moyen Âge, la plupart des gens font des pèlerinages pour obtenir le pardon de leurs péchés et aller au paradis.

Les pèlerins visitent souvent des lieux où il y a des **reliques**. Les reliques sont des objets religieux – ce qui reste du corps d'un martyr ou d'un saint; un objet qui lui a appartenu. Sur place, on vend des médailles, des souvenirs que les pèlerins attachent à leur chapeau ou à leur manteau.

Ce coffret contenait une relique de saint Eustache.

Les pèlerins viennent de tous les groupes sociaux. Le pèlerinage est un voyage sacré : les pèlerins n'ont pas d'armes. Les riches engagent souvent des gardes. Les autres voyageurs se regroupent pour mieux se protéger.

En effet, les chemins sont dangereux. Les voyageurs peuvent être volés, tués ou kidnappés. Les familles doivent payer une **rançon** pour obtenir la liberté des kidnappés. Parfois, ils sont vendus comme esclaves.

Le mot anglais *ransom* vient du français « rançon » (qui vient lui-même du latin).

Cet objet, appelé « enseigne », était porté par les pèlerins qui avaient visité le tombeau de Thomas Becket à Cantorbéry.

Les contes de Cantorbéry

Les pèlerinages sont devenus très populaires. Ils ont inspiré un long poème à l'auteur anglais Geoffrey Chaucer : *The Canterbury Tales.* Cette œuvre raconte l'histoire d'un groupe de pèlerins en route vers le tombeau de saint Thomas Becket, à la cathédrale de Cantorbéry.

Faire ◊ Discuter ◊ Découvrir

1. Dans le cadre d'une discussion de classe, examinez pourquoi il était important de posséder une « enseigne » ou de voir une relique pour un pèlerin.

J'utilise mes connaissances

Compréhension des concepts

1. Recopie le diagramme ci-dessous dans ton cahier. Complète-le pour montrer que la religion jouait un rôle important dans la vie au château. Ajoute d'autres parties au diagramme, si nécessaire.

2. Relève les mots nouveaux du chapitre 4 dans la partie Vocabulaire de ton cahier. Ajoute des diagrammes ou des dessins pour mieux te souvenir des mots et des définitions.

Maîtrise des habiletés de recherche et de communication

3. Utilise les ressources de la bibliothèque (ou visite le site www.ac-bordeaux.fr/Etablissement/CStAulaye/cyber2/5eme/stjac.htm) pour en savoir plus sur les pèlerinages. Fais une recherche sur les vêtements des pèlerins. Dessine un pèlerin et rédige une courte description dans ton cahier.
4. Crée une affiche pour annoncer un tournoi. Rappelle-toi que la plupart des gens ne savaient pas lire. Utilise surtout des images. N'oublie pas d'indiquer la date, l'heure et le lieu.

Application des concepts et habiletés à différents contextes

5. Choisis *un* des sujets suivants :
   - les tournois d'aujourd'hui
   - les loisirs chez soi, aujourd'hui.

   Rédige trois énoncés sur le sujet. Puis, écris 2 ou 3 phrases comparant le sujet aujourd'hui et au Moyen Âge.

Projet médiéval

1. Revoyez les objectifs de votre jeu : il doit être amusant et instructif. Prenez une décision finale sur le type de jeu que vous allez fabriquer et les éléments à inclure.
2. Sur une grande feuille, commencez à dessiner le plateau. Points à considérer : comment utiliser l'espace; où placer la case de départ et la case d'arrivée; les défis et les récompenses pour les joueurs; les illustrations qui décoreront le plateau.
3. Tout en travaillant collectivement à votre plateau, prenez des notes sur les règles du jeu. C'est une partie importante du projet.
4. Identifiez les renseignements importants du chapitre 4 sur la vie au château. Rédigez des questions et des réponses. Rangez-les dans votre dossier pour y travailler au chapitre suivant.

Chapitre 5
La ville médiévale

La ville médiévale regroupe beaucoup de gens aux activités diverses. Entre 1100 et 1300, de nombreux villages s'étendent et deviennent des villes. On y trouve des centaines de maisons, des commerces et des grandes églises. La pollution et les incendies sont des problèmes courants.

À retenir!

Sujets traités au chapitre 5 :
- la croissance des villes
- les rues et les maisons
- la prise de notes
- les cathédrales
- la ville médiévale typique

Vocabulaire

charte
conseil de ville
couvre-feu
façade
roman
gothique
arc-boutant

La croissance des villes

Au début du Moyen Âge, la haute noblesse et l'Église contrôlent la plupart des terres. La majorité des gens habitent des villages et vivent de l'agriculture. Au XIIe siècle, 10 à 15 p. 100 de la population anglaise se trouve dans les villes.

Au siècle suivant, le commerce augmente beaucoup. On mesure la richesse d'après l'argent (plutôt que les terres). Les villes reflètent ce changement.

En général, les habitants des villes sont des hommes et des femmes libres. La plupart produisent des marchandises à vendre. D'autres échangent leur savoir-faire et leurs services contre de l'argent.

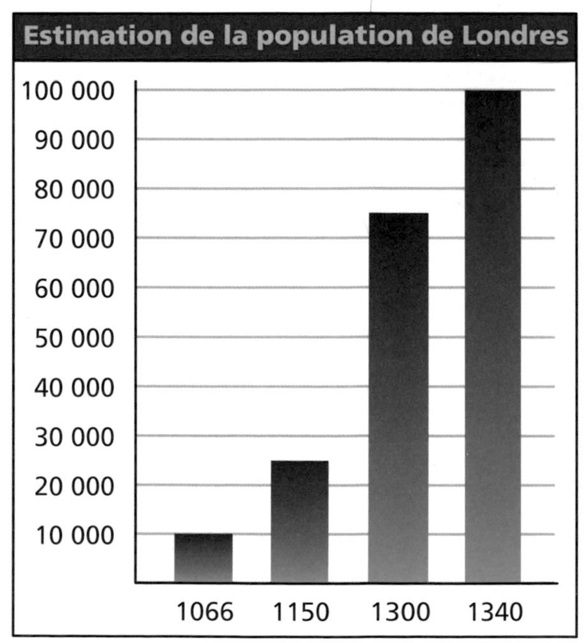

Londres est une ville qui s'est beaucoup développée au Moyen Âge, jusqu'à la catastrophe décrite au chapitre 10.

Les chartes

Au début, les villes font partie de terres seigneuriales. Le seigneur contrôle les affaires municipales. Les habitants lui versent des loyers et des taxes.

Puis, les habitants des villes s'enrichissent et souhaitent leur indépendance. Certains s'adressent au roi et lui demandent une charte. La **charte** porte le sceau royal et déclare que la ville ne dépend plus d'un seigneur local. Les villes doivent verser de l'argent au roi pour obtenir ce document.

Les gens importants établissent un **conseil de ville**. Le conseil prend la plupart des décisions pour les habitants de la ville. Le seigneur reçoit encore quelques taxes, mais il participe moins à la prise de décisions.

Cette charte porte le sceau du roi Jean. Elle autorise les Londoniens à élire leur propre maire.

Faire ◆ Discuter ◆ Découvrir

1. Examine le graphique ci-contre. De combien la population a-t-elle augmenté entre 1066 et 1340? Comment peux-tu expliquer cette forte augmentation?
2. Examine les trois enseignes suspendues au-dessus des boutiques ou magasins, page 62. Associe-toi à un-e partenaire. Devinez ce que chaque magasin vend et expliquez les symboles sur ces enseignes.

Les rues des villes

La ville médiévale est entourée de murs. L'espace est donc limité. Les rues sont étroites et sinueuses (avec des courbes). Plus la population augmente, plus les rues sont sales et sentent mauvais. Elles sont encombrées par des gens, des animaux et des charrettes.

La plupart des rues sont en terre battue. Elles se transforment en boue quand il pleut. Il n'y a pas d'égout; on ne ramasse pas les ordures. Au milieu des rues, un petit fossé étroit permet à l'eau de s'écouler. On y jette les déchets, les eaux sales et le contenu des pots de chambre. Beaucoup de gens élèvent des poules, des chèvres, des cochons et d'autres animaux qui se promènent en liberté.

Les routes principales entrent dans la ville par des grandes portes percées dans les murs extérieurs. Ces portes sont fermées la nuit pour protéger la ville des attaques ou des voleurs.

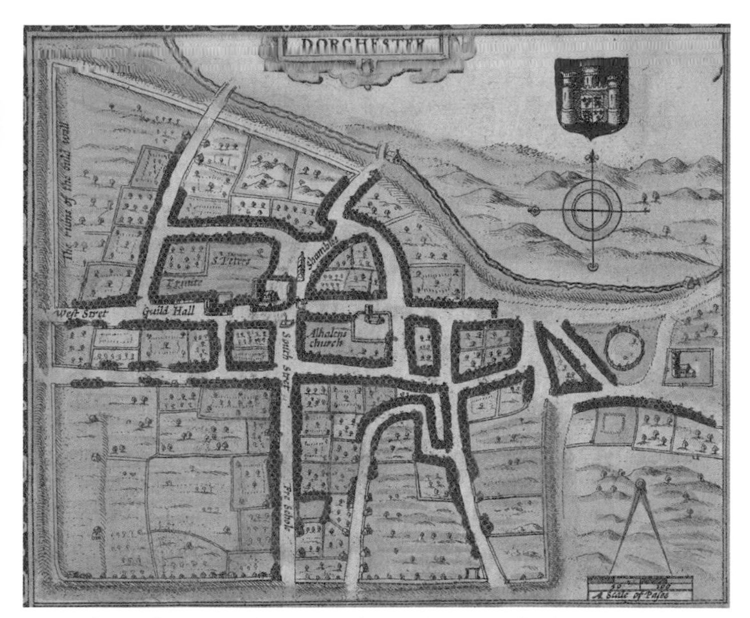

Ce plan de Dorchester (Angleterre) date d'après le Moyen Âge, mais on y reconnaît le centre de la ville médiévale.

En général, les rues portent le nom d'un édifice ou d'un élément important (rue du Pont, rue de l'Église). Quand plusieurs artisans sont groupés au même endroit, la rue porte parfois leur nom (ex. rue des Tailleurs, en France; rue *Threadneedle* à Londres). Les enseignes indiquent les activités des artisans et commerçants. Une miche de pain signale la boutique du boulanger; une paire de ciseaux montre l'atelier d'un tailleur.

Les événements publics importants ont lieu sur la grande place : au centre de la ville ou devant la cathédrale, en général. C'est là aussi que le marché se déroule, une fois par semaine.

Les villes ont au moins une église et souvent plusieurs. En 1340, Londres compte plus de 200 églises et une population de 100 000 habitants.

Le guet de nuit

Les villes ne sont pas éclairées. Le soir, des gardes (le guet de nuit) surveillent les rues sombres et étroites. Ils portent des lanternes accrochées à des longues perches de bois. Ils veillent au respect du **couvre-feu.** Pour éviter les incendies, les gens doivent éteindre les chandelles et le feu du foyer avant d'aller se coucher. Quand la dernière cloche annonce le couvre-feu, on ferme les portes de la ville. Personne ne peut plus entrer ou sortir avant le lever du jour.

Le mot anglais *curfew* vient de l'ancien français « covre-feu ». (On couvre le feu d'une couche de cendres pour l'éteindre.)

Ailleurs...

Dans le sud-ouest des États-Unis, on trouve d'énormes édifices de pierre. Chetro Ketl est l'un de ces édifices. Construit entre 1020 et 1100, il a quatre étages et près de 500 pièces. Un réseau routier reliait ces édifices entre eux et à des routes de commerce.

Faire ◊ Discuter ◊ Découvrir

1. Identifie les causes possibles de pollution dans les villes médiévales. Relève-les dans ton cahier sous le titre : Causes de pollution. Laisse de la place pour continuer cette liste plus tard.

Les maisons des villes

Dans la ville médiévale, les maisons sont collées les unes aux autres. Elles ont souvent plusieurs étages et une **façade** étroite. Les propriétaires paient des taxes d'après la largeur de la façade.

La boutique ou l'atelier familial est au rez-de-chaussée. L'entrée qui donne accès aux appartements se trouve à côté.

La maison est soutenue par des poutres et des poteaux de bois. Entre les poteaux, les espaces sont remplis de plâtre.

Au début du Moyen Âge, les toits sont en chaume. Mais les incendies sont fréquents. Très vite, les toits seront construits en tuile ou en ardoise.

Les étages supérieurs des maisons sont à encorbellement* au-dessus de la rue. C'est une façon d'augmenter l'espace. La salle haute, la cuisine et les chambres sont souvent au deuxième étage. Dans les grandes maisons, il y a aussi des chambres au troisième étage.

Parfois, il y a des latrines ou toilettes qui se déversent dans une fosse au sous-sol ou à côté de la maison. En général, les latrines sont à l'extérieur.

Souvent, plusieurs maisons possèdent un puits en commun.

La largeur de façade sert encore à déterminer le montant des impôts. Les mots anglais *frontage* et *façade* viennent de l'ancien français.

*Pour en savoir plus, visite le site http://hebergement.ac-poitiers.fr/e-vh-angouleme/rues.htm.

La prise de notes

Ton cahier ou classeur à anneaux est l'endroit où tu gardes tes notes de cours. Il est important de savoir prendre des notes. C'est une façon de mieux comprendre et de mieux retenir ce que tu étudies. Tu peux aussi utiliser tes notes pour te préparer aux tests ou aux projets.

Les notes en T sont une méthode de prise de notes. Ce sont des notes écrites et illustrées.

Comment prendre des notes en T

1. Écris le titre ou sujet principal de tes notes en haut de la page.
2. Sous le titre, décris rapidement le sujet en une ou deux phrases.
3. Dans la colonne de droite, écris des sous-titres qui se rattachent aux points principaux. Puis, sous forme de liste, rédige des notes sous chaque sous-titre.
4. Dans la colonne de gauche, fais des petits diagrammes ou dessins pour chaque sous-titre – pour mieux te souvenir des idées principales.

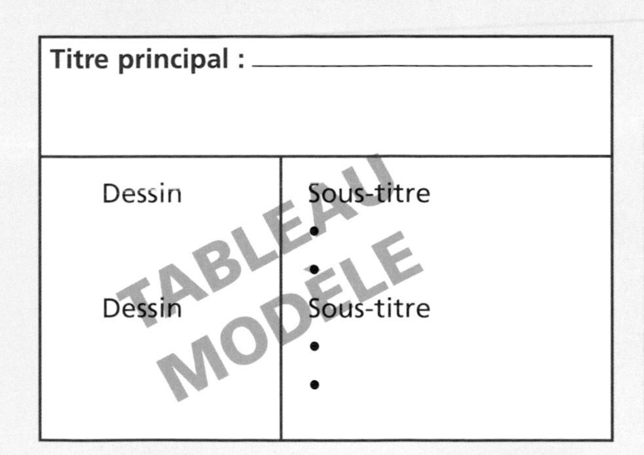

Faire ◊ Discuter ◊ Découvrir

1. Prends des notes en T sur les rues et les maisons médiévales (d'après le contenu des pages 64–66). Partage ton travail avec un-e partenaire et modifie tes notes, si nécessaire.

La cathédrale

Au Moyen Âge, le pays est divisé en régions administrées par des évêques. Dans chaque région, il y a une église appelée « cathédrale ». En général, les cathédrales sont dans les villes.

Il faut beaucoup d'efforts, de temps et d'argent pour bâtir des cathédrales. Mais elles sont faites pour durer éternellement. Les bâtisseurs veulent créer un lieu parfait sur terre – à la gloire de Dieu. C'est pourquoi elles sont plus grandes et plus belles que tous les autres édifices.

La construction d'une cathédrale dure plus longtemps que la vie d'un homme du Moyen Âge. Souvent, l'architecte et les gens qui financent la cathédrale ne la verront jamais terminée.

Styles d'architecture

De 900 à 1150, la plupart des cathédrales européennes sont de style **roman**. À l'intérieur, il y a des voûtes en berceau, soutenues par des colonnes et des piliers épais. Les portes et les fenêtres sont surmontées d'arcs en plein cintre. Les édifices sont massifs et assez sombres. On utilise des sculptures et des pierres de couleur pour les embellir.

La cathédrale de Durham est un exemple de style roman (voir : http://whc.unesco.org/sites/fr/370.htm).

En Angleterre, la plupart des églises médiévales bâties à partir de 1150 sont de style **gothique**.

Construite au XIIIe siècle, la cathédrale de Salisbury est un magnifique exemple du style gothique anglais (voir : www.ac-nancy-metz.fr/pres-etab/CollEdmondGoncourtPulnoy/disciplines/anglais/Salisbur.htm).

Dans les églises gothiques, les piliers sont plus hauts et plus fins. Les murs deviennent plus légers. Des grands vitraux laissent entrer la lumière. L'ensemble est soutenu par un véritable « squelette de pierre ». La voûte s'élève de plus en plus haut.

Les arcs-boutants

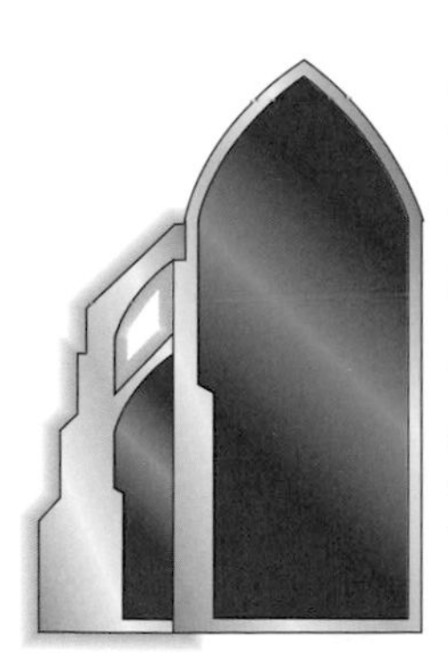

Comment peut-on soutenir le poids du toit sur les murs et les piliers plus hauts et plus minces des églises gothiques? À l'extérieur, on construit des **arcs-boutants** pour consolider les murs.

Les arcs-boutants sont des constructions en forme d'arc qui soutiennent un mur de l'extérieur. Ils peuvent être à deux niveaux (on dit « à double volée »).

Les arts décoratifs

Avec des simples outils et un grand savoir-faire, les sculpteurs et les maîtres verriers créent des magnifiques décorations pour les cathédrales.

Les sculpteurs

Les sculpteurs décorent certains blocs de pierre avant que les maçons les mettent en place. Ils créent aussi des statues représentant des saints et des scènes de la Bible. Certaines cathédrales sont couvertes de magnifiques chefs-d'œuvre.

L'arche romane qui surmonte cette entrée est finement sculptée.

Les artistes du Moyen Âge sculptent aussi le bois pour décorer les meubles et les boiseries des cathédrales.

Faire ◊ Discuter ◊ Découvrir

1. Dans le cadre d'une discussion de classe, examinez pourquoi les cathédrales étaient si grandes et si belles. Relevez les points essentiels dans vos cahiers.

Les vitraux du Moyen Âge

Les vitraux laissent entrer la lumière dans les églises et les cathédrales. Ce sont aussi des grands livres d'images. Ils servent à éduquer les nombreuses personnes qui ne savent pas lire. En général, ils racontent des histoires de la Bible.

Au Moyen-Âge, le verrier est le peintre des vitraux. Pour fabriquer un vitrail, il faut dessiner l'image et la reproduire à l'aide de morceaux de verre émaillés (peints et cuits au four à haute température). On utilise encore la même technique aujourd'hui.

Les morceaux de verre de couleur sont assemblés avec des baguettes de plomb chauffé. Ensuite, on place le vitrail à l'intérieur d'un cadre.

Je fais un vitrail

Fournitures :

- papier et crayon
- feuille d'acétate
- feutres indélébiles (qui ne peuvent être effacés)
- papier fort

1. Fais le dessin de ton vitrail au crayon sur du papier. Trace des lignes épaisses : elles représentent les baguettes de plomb qui assemblent les morceaux de verre. Trace des lignes plus légères pour les détails. Prends des notes sur les couleurs que tu utiliseras.
2. Place la feuille d'acétate sur ton dessin. Repasse sur les lignes épaisses à l'aide d'un feutre indélébile; utilise des traits plus légers pour les détails. Colorie ton dessin avec des feutres indélébiles.
3. Découpe un cadre de papier fort. Fixe la feuille d'acétate au dos du cadre. Affiche ton vitrail à contre-jour pour qu'il laisse passer la lumière.

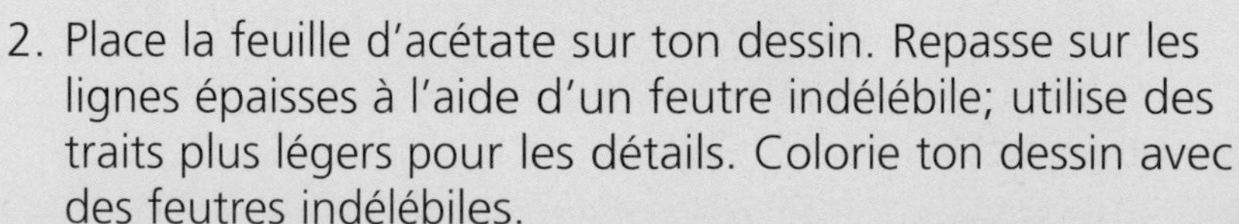

Vers une vie nouvelle?

Margaret se tient derrière son père. Elle écoute la conversation entre sa famille et Roland. L'été dernier, son père a travaillé pour Roland. Ils ont reconstruit les murs du château après le siège. À l'époque, Roland avait dit : « J'espère que nous pourrons retravailler ensemble. » Aujourd'hui, il arrive de la ville. Il aimerait que toute la famille parte s'établir à York.

« Je ne suis pas sûre, Roland, dit la mère. C'est loin, York! J'ai toujours vécu au village. Nous avons cette maison et le jardin, des poules et des oies. Nous pouvons garder nos animaux sur les terres communales. Et nous connaissons tout le monde ici.

— Mais Maman, interrompt Daniel, tu le sais, Papa dit que je serais un bon tailleur de pierre. Il y a pas grand-chose à apprendre ici – à part réparer et construire des murs. J'aimerais travailler sur un grand chantier. Le chantier de la cathédrale de York serait une chance formidable pour moi.

— Qu'en penses-tu, Papa? » demande Arthur, le second frère de Margaret. Arthur est un garçon calme, habile de ses mains. Il est en train de sculpter une famille de poupées en bois pour Margaret.

Après un instant de silence, le père répond : « Il y aurait plusieurs avantages : un travail stable et un bon salaire. Si on travaille tous les trois, la famille pourra prospérer. La guilde des maçons a une loge à York. Roland promet qu'il recommandera les garçons comme apprentis. Tout ça serait impossible ici, au village. »

Daniel et Arthur semblent très intéressés, mais la mère de Margaret détourne la tête pour cacher sa déception.

« Hilda, dit le père doucement. D'autres villageois vont s'installer en ville et chercheront à se faire des amis. Tu pourras emporter les poules et le petit veau rouge. On pourra acheter une partie de notre nourriture et tu auras le temps de filer. Tout ira bien. Tu verras. »

La mère sourit à contrecoeur. Margaret sait qu'ils vont déménager à York – une ville animée, avec des rues, des boutiques et beaucoup de gens. Sa mère lui apprendra à tisser. Elles feront le plus beau tissu de York.

La ville de Ludlow

La ville de Ludlow a été planifiée à l'époque où le château a été construit.

Après la Conquête, Guillaume le Conquérant donne les terres de la région à une famille normande : la famille Lacy. Les fils Lacy – Roger, puis Hugh – font bâtir le château de Ludlow de 1086 à 1094.

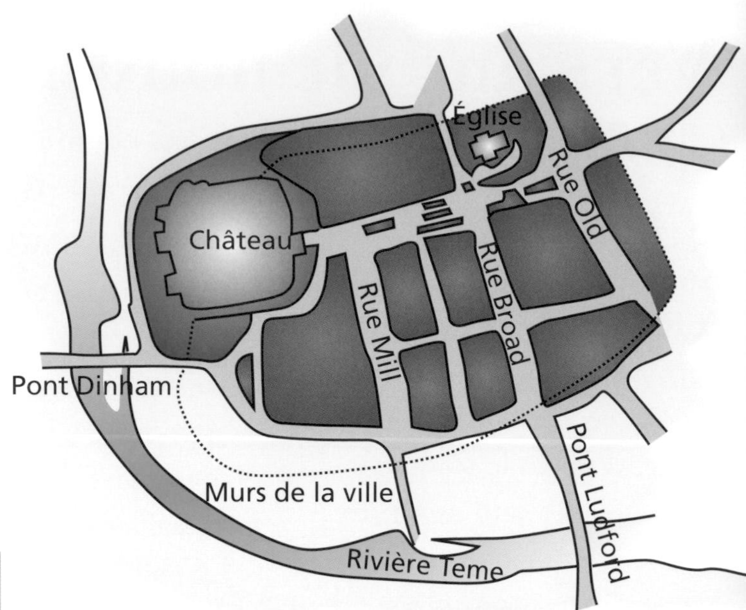

La ville de Ludlow a été construite en plusieurs étapes à l'intérieur des murs du château.

Aujourd'hui, les ruines du château de Ludlow dominent la ville.

C'est un bon site, protégé par des falaises de trois côtés. Il contrôle la traversée de la Teme et permet de surveiller toute la campagne voisine. Ce sont des facteurs importants quand il faut défendre le château et la ville.

Ludlow n'a jamais été un village. Dès le début, c'est une ville planifiée. Les marchés et les foires favorisent ensuite sa croissance. Beaucoup de marchands et d'artisans visitent la ville et décident de s'y installer. Ludlow s'étend et s'enrichit. Une église, bâtie en 1199, existe encore aujourd'hui.

Ludlow

- À l'origine, toutes les rues sont à l'intérieur des murs du château.
- Les rues se développent selon un quadrillage régulier et portent des noms.
- Les parcelles individuelles sont longues et étroites (10 m de large) – parce que l'espace est limité à l'intérieur des murs du château.
- La plupart des maisons sont en bois; les risques d'incendie sont constants.
- Les pâturages, les champs et les bois sont en dehors des murs du château.
- Ludlow devient un centre commercial important; on y recueille et on y échange des marchandises.
- Le commerce des tissus de laine anglais est l'industrie principale de Ludlow. Les moulins à eau de la Teme fournissent l'énergie nécessaire au tissage.
- En 1459, le roi accorde une charte aux habitants de Ludlow.

J'utilise mes connaissances

Compréhension des concepts

1. Choisis une technique de prise de notes pour relever les points essentiels sur les cathédrales (pages 68–70). Partage ton travail avec un-e partenaire et modifie tes notes, si nécessaire.
2. Relève les mots nouveaux du chapitre 5 dans la partie Vocabulaire de ton cahier. Ajoute des diagrammes ou des dessins pour mieux te souvenir des mots et des définitions.

Maîtrise des habiletés de recherche et de communication

3. Imagine que tu quittes ton village médiéval pour la ville. Écris une lettre décrivant tes sentiments au sujet du déménagement – ce qui te réjouit à l'avance et ce qui t'inquiète.

Application des concepts et habiletés à différents contextes

4. Choisis un des sujets suivants :
   - une église moderne
   - les maisons d'aujourd'hui
   - les magasins d'aujourd'hui.

   a) Plie une feuille de papier en deux. Sur la couverture, utilise des mots et des dessins pour décrire le sujet choisi.

   b) À l'intérieur, utilise des mots et des dessins pour décrire ton sujet au Moyen Âge.

Projet médiéval

1. Examinez le premier dessin du plateau et les notes sur les règles du jeu. Faites des changements, si nécessaire. Vous allez tester votre jeu avant de le réaliser sous sa forme définitive.
2. Déterminez et recueillez les fournitures nécessaires pour construire les pièces du jeu et le plateau final.
3. Demandez-vous quelle est la meilleure façon d'utiliser les informations tirées de chaque chapitre. Si vous les utilisez sous forme de questions-réponses, continuez à les recueillir comme avant. Si vous souhaitez les utiliser autrement, commencez à revoir les renseignements déjà recueillis.
4. Identifiez les renseignements importants du chapitre 5 sur les villes médiévales pour les inclure dans votre jeu.

Chapitre 6
La vie en ville

Au Moyen Âge, les gens quittent souvent leur village pour s'installer en ville et commencer une vie nouvelle. Certains trouvent le succès et la richesse. D'autres restent pauvres. Les ouvriers spécialisés forment des **guildes** pour soutenir et réglementer leurs métiers.

À retenir!

Sujets traités au chapitre 6 :

- tissus et vêtements portés par les habitants des villes
- l'hygiène et la santé
- les métiers
- le coût de la vie
- les guildes
- les foires, les marchés et les divertissements
- le style descriptif
- les livres et l'éducation
- les lois et la justice des villes

Vocabulaire

guilde	apprenti
hygiène	compagnon
contagieux	parchemin
proclamation	enluminure

Tissus et vêtements

Dans l'Angleterre médiévale, la laine est le tissu le plus important. On produit aussi du lin. Beaucoup de villes anglaises vivent du commerce de la laine de mouton et des tissus de laine.

La laine

Le lin

Le lin est une plante cultivée pour les fibres de sa tige. On l'arrache en été. On laisse tremper le lin dans l'eau pour l'assouplir; puis, on le bat pour retirer plus facilement les fibres. Ensuite, ces fibres sont filées et tissées. C'est ainsi qu'on obtient le tissu de lin.

Les fibres de qualité supérieure permettent d'obtenir un tissu fin et doux. On l'expose au soleil pour le blanchir. Les fibres de moins bonne qualité donnent un tissu plus grossier et moins coûteux.

Ailleurs...

La Chine fabriquait déjà de la soie près de 3000 ans avant l'époque du Moyen Âge en Europe. Pendant longtemps, la fabrication de la soie est restée secrète. Au Moyen-Orient, l'industrie de la soie a commencé à se développer vers 550 grâce au commerce avec la Chine. Presque toute la soie vendue en Europe était achetée à Constantinople – Istanbul (Turquie) aujourd'hui.

Les vêtements

Les habitants des villes se distinguent par leurs vêtements, qui reflètent leur statut social et leur richesse. Les anciens serfs, les pauvres et les travailleurs s'habillent comme des villageois. Les familles de marchands et d'artisans portent des vêtements plus élaborés.

Les villes sont des lieux de passage. Elles accueillent voyageurs et marchands. Ils ont des vêtements de styles nouveaux, importés du sud de l'Europe. Ils vendent des tissus d'Orient. Les gens riches commencent à porter du velours, de la soie, des fourrures, des vêtements très ajustés aux vastes manches; les dames portent des robes à traîne et des coiffes compliquées (voir le chapitre 4).

Parfois, les nobles adoptent des lois pour interdire aux gens ordinaires de s'habiller comme la noblesse. En général, ces lois ne sont pas respectées.

Faire ♦ Discuter ♦ Découvrir

1. Crée un tableau de trois colonnes : Villageois, Citadins, Nobles. Compare leurs vêtements (voir les pages 22, 48, 49 et 76). Prends des notes et relève-les dans ton tableau.

Hygiène et santé

Les villes médiévales sont sales et surpeuplées. L'eau propre est presque impossible à trouver. Les maladies se répandent rapidement. Les personnes âgées, les enfants et les jeunes mères sont souvent les premières victimes.

L'hygiène

Au Moyen Âge, les gens ne comprennent pas l'importance de l'**hygiène**. Ils ne savent pas comment les maladies se transmettent. Les déchets d'origine humaine et animale posent un problème constant. Ils polluent les puits et les cours d'eau. Les villes adoptent des lois pour réglementer certaines activités. Par exemple, on essaie d'éloigner les tanneries, les teintureries et les abattoirs pour éviter les mauvaises odeurs, la pollution et les maladies. La pollution de l'eau reste un problème dans les villes d'aujourd'hui.

La lèpre

La lèpre est une des pires maladies du Moyen Âge. Les lépreux doivent vivre à l'extérieur des villes dans des léproseries. On leur interdit de marcher pieds nus, de se laver dans les cours d'eau; d'entrer dans les lieux publics (moulins, églises, fours, auberges, etc.). Incapables de travailler, ils doivent mendier. Ils portent une écuelle de mendiant et signalent leur présence à l'aide d'une crécelle*.

*Petit instrument en bois qui fait du bruit en tournant.

Les hôpitaux

Le mot « hôpital » vient du mot « hospice ». À l'origine, l'hospice est un lieu où les religieux accueillent les pèlerins. On y reçoit aussi les personnes âgées, les malades et les gens dans le besoin.

À l'hospice, tous les malades dormaient, mangeaient et priaient dans une grande salle commune.

Les médecins

Les médecins visitent les riches à domicile. Leurs connaissances sont plus élémentaires qu'aujourd'hui. Mais certains ont étudié des livres de médecine en grec ancien et en arabe.

Les médecins examinent les malades et leur posent des questions; ils prélèvent de l'urine et du sang. Certains médecins font des opérations. Mais les malades meurent souvent d'infection.

Les médecins utilisent l'alcool ou des médicaments puissants pour soulager la douleur. Ils savent comment réduire les fractures et recoudre les plaies. Mais ils ne comprennent pas comment les maladies **contagieuses** se transmettent.

Pendant longtemps, on a cru que les gens étaient malades parce qu'ils avaient trop de sang. Les médecins font donc des saignées. Ils appliquent des sangsues ou ouvrent une veine pour laisser couler du sang.

Les dentistes

Le mot « dentiste » n'apparaît pas avant le début du XVIIIe siècle. Au Moyen Âge, les soins dentaires sont réservés aux riches. Ils sont pratiqués par des chirurgiens-barbiers. Certains traitent les dents cariées et peuvent fabriquer une fausse dent en os. Mais la grande majorité des gens se font arracher les dents dans les foires ou chez le forgeron.

Les mots anglais *hospital*, *hospice*, *dentist* viennent tous de l'ancien français (ospital, hospes, dentiste).

Faire ◊ Discuter ◊ Découvrir

1. Reprends la liste que tu as préparée pour la question 1, page 65. Ajoute d'autres causes de pollution d'après le contenu des pages 77 et 78.

Les habitants des villes

Au début du Moyen Âge, l'agriculture (la production des aliments) est l'activité principale. Souvent, les familles sont autosuffisantes : elles répondent à leurs propres besoins essentiels. Plus tard, dans les villes, les gens gagnent leur vie en faisant d'autres métiers.

Il y a beaucoup de choses à faire, à entretenir et à réparer – les habitations, les vêtements et les autres biens. La plupart des gens font ce travail pour eux-mêmes. Certains payent des artisans et des marchands pour obtenir des produits et des services.

Métiers

apothicaire	blanchisseuse	drapier *[marchand de tissus]*	laboureur	serrurier
architecte	boucher	enseignant	magistrat	servant
arracheur de dents	boulanger	épicier	marchand	tailleur
artiste	capitaine de guet	fabricant de bougies	médecin	tailleur de pierre
aubergiste	charpentier	forgeron	ménestrel	tanneur
avocat	charretier	foulon	menuisier	tavernier
banquier	clerc	fournier	meunier	teinturier
barbier	cordonnier	fourreur	musicien	tisserand
bijoutier	couvreur		orfèvre	verrier
	crieur public		prêtre	

Faire ◆ Discuter ◆ Découvrir

1. Crée un tableau intitulé Métiers d'après les catégories : Aliments, Vêtements, Habitations, Services.
   a) Remplis chaque catégorie à l'aide des métiers ci-dessus.
   b) Encercle les métiers qui existent encore aujourd'hui.

Le coût de la vie

Les prix et les salaires ci-dessous sont tirés d'archives du XIIIe siècle (registres de baillis; comptes de fermes et de manoirs). Un shilling vaut 12 pence.

Construction d'une maison

2 maçons pour 6 jours de travail
.... 2 1/2 pence par jour chacun

2 charpentiers pour 4 jours de travail
.... 3 pence par jour chacun

1 couvreur pour 4 jours de travail
.... 3 pence par jour chacun

Frais d'un ménage

1 livre (454 g) de savon .... 1 penny

1 livre de chandelles .... 1 1/2 pence

12 cuillères d'argent . . . 2 shillings, 4 pence

1 yard (9/10 m) de lin .... 3 1/4 pence

tapis portant les armoiries de l'Angleterre
.... 20 shillings

Un meunier reçoit un salaire annuel de 5 shillings. Les chandelles coûtent l'équivalent d'une semaine de salaire pour un meunier. Les cuillères d'argent représentent presque la moitié de son salaire annuel.

Le tapis a été acheté pour 20 shillings par un noble, le comte de Clare. Le prix représente environ la moitié du salaire annuel d'un chapelain (40 shillings et 2 pence).

Produits alimentaires

1 livre de clous de girofle ...... 10 shillings

1 livre de poivre .... 9 pence

120 œufs .... 2 1/2 pence

1 gallon (4 1/2 L) de beurre . . . 4 1/2 pence

Un charpentier gagne 3 pence par jour pour 4 jours de travail. Il peut acheter des œufs et du beurre. Le comte de Clare peut facilement s'offrir des produits de luxe tels que le poivre et les clous de girofle (épices).

Voici des pièces d'argent (pence). On pouvait les couper en moitiés et en quarts pour diminuer leur valeur.

Le crieur public

« Oyez, oyez *[Hear ye!]* », dit le crieur public pour annoncer qu'il a un message. Au Moyen Âge, le crieur public lit les nouvelles du jour. Les gens se rassemblent autour de lui pour écouter. Il joue le rôle des journaux, de la radio et de la télévision aujourd'hui.

Les **proclamations** sont des messages publics qui concernent tout le monde : l'annonce d'une loi ou d'une taxe nouvelle, par exemple. Elles sont lues par un représentant de la ville ou un officier du roi.

Les guildes

Au Moyen Âge, la guilde est une association de gens qui ont des intérêts communs : marchands, bourgeois, artisans. Les guildes marchandes achètent et vendent certains produits. Elles contrôlent les prix et établissent des règles de commerce. Elles fixent aussi des critères de qualité.

Les guildes ou corporations d'artisans choisissent les **apprentis**. Il faut être accepté par la guilde pour apprendre le métier. L'apprenti vit dans la maison du maître qui le forme. En général, l'apprentissage dure sept ans. Certaines guildes acceptent des femmes parmi leurs membres; la plupart sont réservées aux hommes.

Guilde des négociants en vins

À la fin de l'apprentissage, l'apprenti devient **compagnon**. Il est libre de voyager et de travailler pour différents maîtres. Quand il a beaucoup d'expérience, il peut présenter un projet important appelé « chef-d'œuvre ». Si le projet est accepté, le compagnon devient maître et peut avoir des apprentis.

Ces apprentis apprennent le métier de teinturier.

Au Moyen Âge, il existe beaucoup de guildes – pour les tisserands, les fabricants de chandelles, les sonneurs de cloches et les cantonniers*, par exemple. Certaines guildes sont très puissantes. Elles ont une grande influence sur l'administration des villes.

Guilde des saleurs

Guilde des teinturiers

L'apprentissage existe encore pour certains métiers (menuisier, plombier, soudeur, par exemple). Il combine des cours et des stages pratiques chez les employeurs. Les apprentis doivent passer plusieurs examens à différentes étapes de leur formation. Ils ne vivent plus dans la famille de leur employeur.

*Le cantonnier répare les routes.

Marchés et foires

Au Moyen Âge, les villes doivent obtenir l'autorisation du roi pour créer un marché ou une foire.

Le marché a lieu une ou deux fois par semaine sur la grande place. Les gens se lèvent très tôt pour préparer et présenter leurs marchandises. D'autres viennent des villages voisins pour vendre leurs produits.

On trouve de tout sur un marché : des chandelles, des couteaux, des aiguilles, des œufs, des légumes, du miel, du pain, de la bière fraîchement brassée, des chaussures, par exemple.

Les vendeurs annoncent leurs produits et leurs services en criant. Leurs appels et leurs chansons font partie des bruits du marché.

Les foires

Au Moyen Âge, les foires sont des marchés importants qui ont lieu une ou deux fois par an. Les marchands et les clients viennent de loin. La plupart des foires sont spécialisées : les foires de la laine en Angleterre ou celles des draps en Flandre sont célèbres. Par exemple, les fermiers achètent des animaux aux foires aux bestiaux* pour améliorer la qualité de leurs troupeaux.

Il y a beaucoup d'attractions à l'occasion des foires. Les gens peuvent acheter de la bière et de quoi manger. On trouve des arracheurs de dents et des écrivains publics.

Les visiteurs viennent aussi pour se divertir. Il y a des spectacles de rue : des échassiers, des chanteurs, des jongleurs, des acrobates, des animaux savants et des marionnettes, par exemple.

Certaines personnes aiment parier sur des spectacles violents de lutte ou des combats contre un ours. L'Église critique les parieurs.

*Gros animaux de ferme

Faire ◊ Discuter ◊ Découvrir

1. Associe-toi à un-e partenaire. Composez et interprétez deux chansons pour annoncer vos produits ou services dans une foire.

Les divertissements

Le théâtre joue un rôle important les jours de fête. En général, les spectacles sont organisés par les guildes. Tous les ans, les rôles sont interprétés par des habitants.

Certaines villes présentent une longue série de pièces qui racontent des histoires de la Bible. La série peut durer plusieurs jours. Certaines scènes sont jouées sur les marches de la cathédrale. D'autres troupes jouent sur des grandes charrettes qui circulent dans les rues de la ville. Il y a souvent des effets spéciaux. Par exemple, on verse des seaux d'eau sur la scène pour raconter l'histoire du déluge et de l'arche de Noé.

Les « momeurs » (mot du Moyen Âge) offrent un autre type de divertissements. Ce sont des serfs et des paysans libres, qui portent des masques d'animaux et de créatures imaginaires. Ils interprètent et miment des histoires des temps anciens. Il y a souvent un spectaculaire combat à l'épée, des danses et des chants. Ces spectacles sont réservés à des fêtes bien spéciales. Les momeurs sont récompensés par de la nourriture et des pennies.

Les ménestrels et les troubadours voyagent aussi de ville en ville. Dans leurs chansons, ils parlent de chevaliers courageux, de belles dames et d'événements qui se passent dans des pays lointains.

Les marionnettistes suivent aussi les foires. Ils donnent des spectacles dans les châteaux et les manoirs sur leur chemin. Les marionnettes représentent souvent des clowns, des rois, des animaux et un médecin qui ramène tout le monde à la vie à la fin du spectacle.

Les spectacles de marionnettes étaient déjà populaires avant le Moyen Âge.

Faire ◊ Discuter ◊ Découvrir

1. Dessine un diagramme ou tableau qui a la forme d'une scène de théâtre. Donne-lui le titre : Les divertissements au Moyen Âge. Relis les pages 82 et 83; prends des notes sous les titres : Artistes ambulants, Artistes locaux. Ajoute des dessins pour mieux te souvenir du contenu.

L'écriture descriptive

1. L'écriture descriptive se distingue par son style expressif. Elle utilise des mots qui évoquent des images, des odeurs, des sons, des parfums et des impressions vivantes chez la personne qui lit.

Sens	Exemple
Goût	L'écume salée de l'océan
Toucher	La gifle glacée des vagues
Odorat	L'odeur de laine mouillée de son écharpe
Vue	La surface métallique de la mer reflète le ciel noir.
Ouïe	Elle entendait la respiration rapide du chien tandis que le vent hurlait.

2. L'écriture descriptive fait appel aux émotions du lecteur. Les mots servent à créer une certaine atmosphère.

Atmosphère	Exemple
Solitude	Une mouette solitaire a poussé un cri au-dessus de la mer déserte.
Excitation	Son cœur s'est mis à battre très fort quand elle a vu le bateau.

3. L'écriture descriptive décrit une action de façon vivante : le lecteur peut imaginer et suivre exactement ce qui arrive.

Exemple

Le bateau était secoué violemment de haut en bas, quand elle est tombée à la mer. Le chien s'est jeté à l'eau pour la secourir.

4. L'écriture descriptive donne des détails qui permettent de voir clairement le décor, la personne, l'événement, la conduite ou les réactions des gens.

Exemple

Elle savait que son canot prenait un peu l'eau. Mais elle n'avait pas remarqué à quel point l'écorce avait rétréci. L'eau a commencé à entrer par les coutures. Soudain, tout le fond était rempli d'eau.

Faire ◊ Discuter ◊ Découvrir

1. Lis le récit La foire d'automne, page 85. Associe-toi à un-e partenaire pour discuter des exemples d'écriture descriptive de ce récit.
2. Seul-e, choisis un rôle ou un sujet tiré des pages 75–83. Imagine-toi à cette époque et à cet endroit. Rédige 2 ou 3 paragraphes décrivant ton expérience ou tes sentiments.

La foire d'automne

Le soleil brille sur les toits d'ardoise et de chaume de la ville. Mais l'air du matin est encore frais. Jeanne et Harold sortent de la maison tout excités. Le domestique de la famille, Hugo, les accompagne. Le père n'a pas voulu les laisser partir seuls. Hugo portera les bagages et veillera sur leur sécurité. C'est la foire de la laine. Il y a beaucoup d'étrangers en ville.

« Dépêche-toi, Harold, dit Jeanne. Elle tient un carré d'étoffe à la main. Elle cherche du ruban pour sa nouvelle robe de soie jaune et elle a peur de ne plus trouver de belles couleurs.

« J'arrive! », dit Harold en grognant. Il est plus petit que sa sœur et peut à peine la suivre. « J'ai aussi des choses importantes à faire. Je dois trouver un écrivain public pour écrire à James à Oxford. J'ai demandé au Frère Alfred, mais il n'a pas le temps. Je trouverai bien quelqu'un à la foire. Jeanne sourit. Leur frère aîné est à l'université et il leur manque beaucoup.

Ils marchent rapidement le long de « Candlestick Lane ». La fumée du matin se mélange aux odeurs de cire et de suif brûlants. Les odeurs de poisson de la rue voisine et les eaux sales qui coulent au milieu de la ruelle leur donnent mal au cœur. Au coin de la rue, ils aperçoivent une boutique qui vend des montagnes de pâtés et de fromages. Un bon parfum de pain frais et de brioche vient de la boulangerie.

Plus ils s'approchent de la foire, plus les rues sont animées. Les villageois se mêlent aux gens de la ville. Il y a aussi beaucoup d'étrangers. Certaines personnes portent des tissus et des vêtements élégants, des longues robes et des chapeaux étranges. Leur père leur a dit qu'il y aurait des marchands de Bruges et de Venise, et des Maures venus du sud de l'Espagne.

Jeanne s'arrête devant un étalage, émerveillée par les magnifiques couleurs des tissus. Entre ses doigts, le marchand fait glisser un morceau d'étoffe, que la brise soulève légèrement. La soie verte et violette et les fils d'or brillent dans la lumière du soleil. Mais Harold tire Jeanne par la main. Il faut d'abord trouver un écrivain public. Bientôt, il y aura trop de monde.

Les livres et l'éducation

En Europe, l'imprimerie a été inventée vers 1455. Avant cette date, les livres sont écrits et copiés à la main – sur du **parchemin** et à l'aide d'une plume d'oie. Le parchemin est une peau d'animal soigneusement traitée et séchée. Il donne des feuilles minces et lisses. Il coûte très cher.

Les plus beaux livres sont richement illustrés : certaines images occupent toute la page; des petits dessins décorent les marges et les espaces sans texte. La première lettre de chaque paragraphe est plus grosse que les autres et soigneusement décorée. Les lettres peintes et les dessins qui illustrent les manuscrits sont appelés **enluminures.** Souvent, on a utilisé des magnifiques couleurs et une mince couche d'or (l'or en feuille).

La plupart des livres sont copiés par des moines. Les monastères ont souvent des bibliothèques. Quand les nobles veulent un livre, ils paient le monastère pour obtenir une copie. Parfois, il faut plusieurs années pour finir un livre. La plupart des livres parlent de religion. Il y a aussi des livres sur la médecine, l'astronomie (les étoiles) et le droit. Ces derniers sont rarement ornés d'enluminures.

Les universités

Au Moyen Âge, plusieurs universités sont créées – à Oxford et à Paris, par exemple. Les jeunes gens éduqués entrent à l'université à l'âge de 14 ans. La médecine, la religion, les arts, la philosophie et le droit sont les principales matières enseignées. Les étudiants obtiennent leur premier diplôme vers 22 ans.

Notre héritage

Aujourd'hui, en général, on entre à l'université à 18 ans.

Je fais une plaque d'identité enluminée

Fournitures :

- crayon, gomme, règle
- papier blanc
- feutres/peintures
- peinture acrylique or

1. Prépare ta plaque d'identité en faisant plusieurs dessins. Utilise à peu près un tiers de l'espace pour la lettre majuscule enluminée. Consulte des livres de référence ou Internet pour trouver un style de lettrage ou crée ton propre style. Trace les autres lettres dans le reste de l'espace.
2. Trouve des exemples de lettres enluminées et de manuscrits du Moyen Âge. Choisis un thème pour ta plaque d'identité : la vie au village, les chevaliers et les dames, les animaux des bois, les jongleurs et les danseurs, les créatures imaginaires, par exemple.
3. Dessine soigneusement la lettre majuscule. Trace les autres lettres de ton nom d'un trait léger et d'une même couleur.

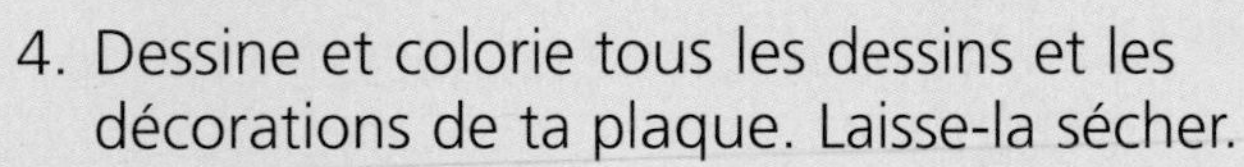

4. Dessine et colorie tous les dessins et les décorations de ta plaque. Laisse-la sécher.

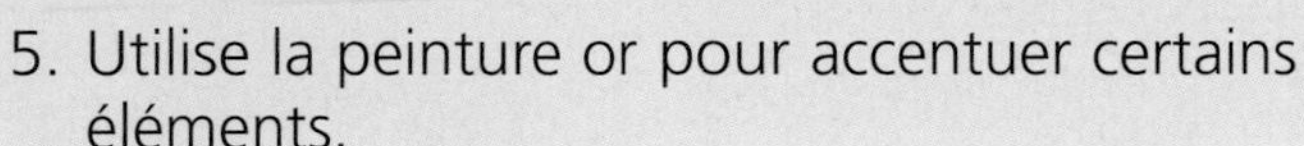

5. Utilise la peinture or pour accentuer certains éléments.
6. Tu peux encadrer ta plaque d'identité ou la coller sur du carton pour l'exposer.

Les lois et la justice

Au Moyen Âge, il y a peu de prisons dans les villes. Les procès sont rapides. En général, les accusés sont jugés par un agent du roi ou le conseil de ville. Il y a des amendes pour toutes sortes de crimes. Les villes utilisent cet argent pour financer des services (le guet, par exemple).

Les coupables de crimes graves peuvent être pendus ou chassés de la ville. Parfois, on coupe la main des voleurs ou on les pend. Les commerçants malhonnêtes sont punis en public. On utilise souvent le pilori.

En général, les nobles ne sont pas jugés par les agents municipaux. Le conseil de ville peut présenter les plaintes au seigneur. Les crimes les plus graves sont jugés par le roi ou la reine.

Les membres du clergé ne sont jamais jugés par les agents municipaux. L'Église a ses propres lois et cours de justice.

Les avocats

À partir de 1300, plusieurs écoles de droit sont fondées à Londres. On choisit les futurs avocats parmi les bons étudiants. Les avocats défendent les droits des accusés à la cour du roi.

Faire ◊ Discuter ◊ Découvrir

1. Relis les pages 33, 51 et 88. Dans ton cahier, relève deux points communs sur les lois et la justice dans les villages, les châteaux et les villes. Partage ton travail avec un-e autre élève.

J'utilise mes connaissances

Compréhension des concepts

1. Recopie le diagramme ci-dessous dans ton cahier. Complète-le pour montrer que la religion jouait un rôle important dans la vie de la ville médiévale.

2. Relève les mots nouveaux du chapitre 6 dans la partie Vocabulaire de ton cahier. Ajoute des diagrammes ou des dessins pour mieux te souvenir des mots et des définitions.

Maîtrise des habiletés de recherche et de communication

3. Fais une recherche sur un métier de la liste de la page 79. Dans ton cahier, décris quatre ou cinq choses intéressantes que tu as découvertes à ce sujet.

Application des concepts et habiletés à différents contextes

4. Imagine que tu peux seulement acheter des produits frais une ou deux fois par semaine. Tu n'as pas de frigidaire pour conserver les aliments. Qui achète la nourriture dans ta famille? Demande à cette personne de t'expliquer comment elle organise cette activité. Compare sa méthode et celles des gens au Moyen Âge. Utilise le contenu de la page 50 pour ce travail.
5. Choisis un des sujets du chapitre et associe-toi à un-e partenaire. Créez un court récit descriptif à lire à haute voix *ou* des marionnettes et un script de 1 minute que vous présenterez à la classe.
6. Trouve le travail que tu as fait pour la question 1, pages 65 et 78. Puis, fais un tableau dans ton cahier pour comparer la pollution au Moyen Âge et au Canada aujourd'hui.

Projet médiéval

1. Examinez le dessin du plateau et les règles du jeu. Demandez à quelqu'un qui n'est pas dans votre groupe de les lire et de faire des commentaires. Est-ce que la personne a compris les règles du jeu? Modifiez-les jusqu'à ce qu'elles soient claires.
2. Identifiez les informations importantes du chapitre 6 sur la vie dans les villes médiévales. Utilisez la forme que vous avez choisie pour les inclure dans votre jeu.

Chapitre 7
Un royaume médiéval

Au Moyen Âge, le roi est le chef suprême du royaume. Les nobles sont les vassaux du roi : ils sont à son service et doivent être ses fidèles sujets. Les nobles, le roi et l'Église ne sont pas toujours d'accord sur les droits et les taxes. Parfois, les désaccords provoquent des conflits et certains changements.

À retenir!

Sujets traités au chapitre 7 :

- la structure politique au Moyen Âge
- le rôle de roi
- le rôle de reine
- les méthodes de guerre
- la Grande Charte
- cause et effet

Vocabulaire

allégeance
fantassin
alliance
consensus
hériter
couronnement
souveraine
héritier
régente
Grande Charte

Le royaume

Au Moyen Âge, le royaume inclut tous les territoires administrés par le roi et ses vassaux. En général, le royaume médiéval est plus petit qu'un pays moderne.

Un pays est un territoire séparé des autres par des frontières et qui a son propre gouvernement central.

Il y a souvent des guerres entre les rois et les nobles puissants. Ces conflits modifient les frontières des royaumes. Souvent, le vainqueur prend les territoires du vaincu.

Par exemple, en 1066, Guillaume, duc de Normandie*, débarque en Angleterre avec une petite armée. À Hastings, il bat les troupes du roi d'Angleterre, Harold. Puis, il partage le pays entre les nobles chevaliers qui sont ses vassaux.

Les vassaux prêtent le serment d'**allégeance** au roi : ils lui promettent fidélité et obéissance. Le roi a besoin d'armées pour faire la guerre – défendre le royaume ou conquérir d'autres territoires.

Pour combattre dans l'armée du roi, les vassaux doivent souvent fournir leurs propres chevaux et armures. Ils sont également accompagnés par des **fantassins** et des archers. De plus, ils paient des taxes sur les revenus de leurs manoirs pour soutenir l'armée du roi.

Certains vassaux sont assez riches et puissants pour menacer l'autorité du roi. Pour conserver le pouvoir, le roi doit donc maintenir l'équilibre entre les différentes forces au sein du royaume.

Alain de Bretagne était un vassal de Guillaume le Conquérant. Ici, il jure fidélité au roi.

Ailleurs...

Dans les années 1400, au nord-est des États-Unis, un groupe de nations iroquoises ont formé une **alliance**. Une alliance est un accord qui protège les intérêts de tous les membres. Ces nations ont promis de ne pas se faire la guerre et de se rencontrer pour discuter de leurs problèmes communs. Aucun chef ne dominait cette alliance. Le groupe de chefs prenait des décisions par **consensus**. C'est-à-dire que tout le monde devait être d'accord pour accepter une solution.

*Après sa mort, Guillaume est surnommé *le Conquérant*.

Le roi

Dans l'Angleterre médiévale, le roi est le chef suprême du royaume.

En général, le roi s'entoure de conseillers. Mais il n'est pas obligé de suivre leurs conseils. Quand les conseillers ne sont pas d'accord avec le roi, le roi peut les ignorer, les chasser de la cour ou les punir.

La plupart des rois **héritent** de leurs terres et de leur titre. Quand un roi n'a pas de fils, sa fille peut avoir le titre de reine. Cependant, au Moyen Âge, une fille ne peut pas hériter du royaume de son père.

Pendant la cérémonie religieuse du **couronnement** (le sacre), un archevêque – ou parfois le pape – remet la couronne au nouveau roi; il verse aussi de l'huile sainte sur la tête du roi pour exprimer l'approbation de Dieu.

Ce roi médiéval est couronné et reçoit les symboles de l'autorité royale.

Les alliés royaux

Les rois forment des alliances pour protéger leurs intérêts. Ils promettent de s'aider en cas de guerre, par exemple; ils permettent le passage des marchandises sur leurs territoires, pour un certain prix. Ils se rendent visite et ils échangent de magnifiques cadeaux. Parfois, les alliances échouent et les rois se déclarent la guerre.

Une poignée de mains entre deux égaux : David II d'Écosse et Édouard III d'Angleterre.

Une rançon royale

Quand un roi est capturé au cours d'une bataille, le vainqueur peut exiger une grosse somme contre sa libération. En 1193, le roi Richard Ier d'Angleterre – appelé Richard Cœur de Lion – a été fait prisonnier. Ses vassaux ont dû vendre des terres, des bijoux et d'autres biens pour payer la rançon de 150 000 marks (soit environ 23 millions de dollars) à l'empereur germanique Henri VI.

Le rôle de reine

La reine peut être la femme d'un roi ou la **souveraine** (le chef suprême) d'un royaume sans roi.

Femme de roi

En tant qu'épouse de roi, la reine a de nombreuses responsabilités :

- avoir des enfants : donner un **héritier** – un futur roi;
- tenir les comptes et planifier l'approvisionnement (nourriture, médicaments, etc.) avec le régisseur;
- veiller à l'éducation des enfants nobles qui vivent à la cour, leur enseigner les règles de conduite et la gestion des affaires domestiques;
- surveiller les domestiques du château;
- organiser les banquets, les divertissements.

La reine fait aussi de la tapisserie, de la lecture et elle écoute de la musique. Elle a appris l'arithmétique pour pouvoir vérifier les comptes. Parfois, elle est mieux éduquée que le roi, qui a des secrétaires qui peuvent lire et écrire pour lui.

Souveraine

Élizabeth II est devenue reine en 1952 et a été couronnée en 1953.

Au Moyen Âge, en Angleterre, la reine peut être **régente** :

- si le roi meurt et que le fils aîné est trop jeune pour régner;
- si le roi est absent – à la guerre, par exemple.

Au Moyen Âge, la coutume veut que le royaume soit dirigé par un homme. On pense qu'un homme peut mieux se battre et défendre son autorité qu'une femme.

Aujourd'hui, les armoiries du Royaume-Uni portent la devise française : *Dieu et mon droit* et *Honni soit qui mal y pense*. Quand les lois britanniques sont adoptées, la reine écrit en ancien français : *La Reyne veult* [la reine veut].

Faire ◆ Discuter ◆ Découvrir

1. Crée un diagramme en toile d'araignée représentant les rôles de roi et de reine. Tu peux ajouter des couleurs ou illustrations pour mieux te souvenir des points principaux.

Aliénor d'Aquitaine, reine de France et d'Angleterre

Aliénor est la fille aînée du duc d'Aquitaine. Il meurt en 1137. Elle a 15 ans et hérite d'un vaste domaine (voir la carte ci-contre).

Pour augmenter son pouvoir et ses richesses, Louis VII, héritier du roi de France, épouse Aliénor. Elle est reine de France pendant 15 ans, mais le mariage n'est pas heureux. L'Église autorise leur divorce en 1152.

Aussitôt, Aliénor reprend ses terres et épouse Henri Plantagenêt, comte d'Anjou et duc de Normandie, héritier de la couronne d'Angleterre. Deux ans plus tard, ils sont couronnés ensemble : Henri Plantagenêt devient Henri II d'Angleterre.

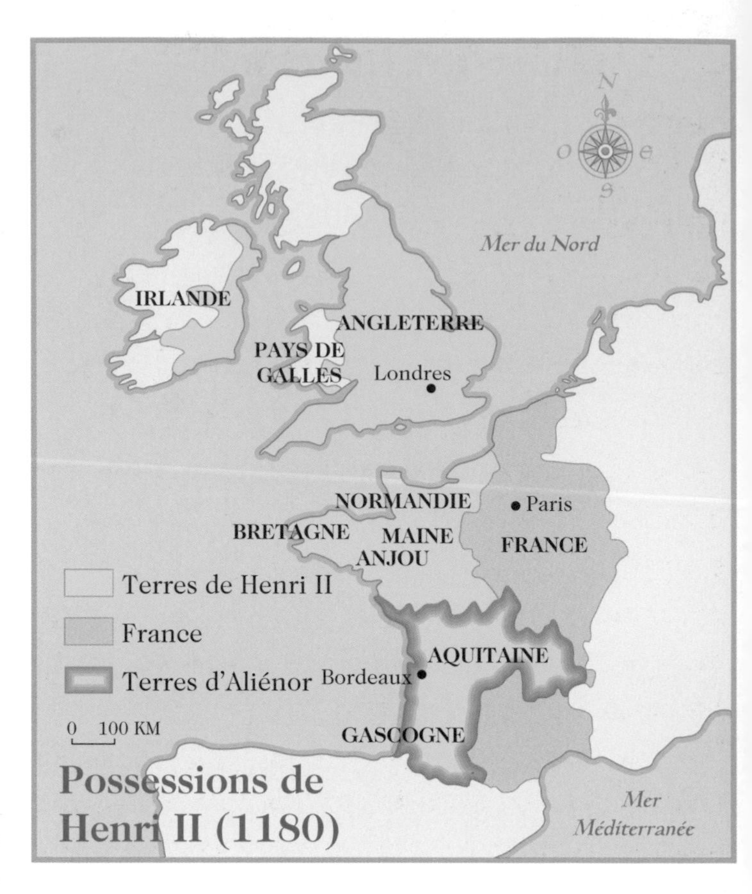

Aliénor d'Aquitaine et Henri II d'Angleterre sont enterrés à l'abbaye de Fontevrault (France).

Aliénor et Henri sont tous deux des personnages puissants; ils ne sont pas toujours d'accord. En 1173, Henri II fait enfermer Aliénor dans un couvent français pour l'éloigner de la cour. Elle encourage ses fils à se révolter contre le roi.

Alinéor reste en France pendant 16 ans. À la mort du roi, son fils Richard monte sur le trône et la fait régente d'Angleterre. Elle dirige le royaume en son absence. À la mort de Richard, le dernier fils d'Aliénor, Jean sans Terre, devient roi d'Angleterre.

Aliénor meurt à 82 ans à l'abbaye de Fontevrault où elle s'est retirée et où elle est enterrée.

Robin des Bois

C'est une belle journée d'automne, fraîche et ensoleillée. Robin des Bois et Will Scarlet sont debout sous les grands chênes de la forêt de Sherwood.

« Je suis heureux de voir que vous avez des provisions pour l'hiver, dit Robin en souriant. Et que vous aurez de quoi manger, grâce aux cerfs du roi. » C'est pourquoi Robin et ses compagnons sont hors-la-loi et poursuivis par le shérif. Ils ne respectent pas les droits du roi sur toutes les forêts d'Angleterre.

Le roi Jean n'est pas aimé. Il impose de lourdes taxes pour financer des guerres qu'il ne peut pas gagner. Quand les gens ne peuvent pas payer les taxes royales, ils sont chassés de leurs terres. Beaucoup se joignent aux compagnons de Robin des Bois.

Soudain, Robin et Will entendent des cris de douleur. Ils traversent la forêt et arrivent dans une clairière. Là, les hommes du shérif maltraitent le jeune Alan Ford, un serf du village voisin. Il y a deux lièvres morts sur le sol, à côté d'un sac. Alan a eu de la chance, ce matin… mais pas assez pour échapper au shérif. « Appelle nos hommes! », dit Robin.

Will prend son cor de chasse et lance un long appel. Les hommes du shérif ont l'air inquiet. Une demi-douzaine de compagnons habillés en vert apparaissent comme des ombres. Robin trace un cercle dans l'air. Les hommes préparent leurs flèches, encerclent la clairière, le serf et ses gardes. Tandis que Robin s'approche, ses compagnons tendent leurs arcs.

« Voyons, dit Robin. Est-il juste que quatre hommes comme vous arrêtent un pauvre serf?

— C'est la loi, répond le chef en ricanant. Voilà la preuve. Les braconniers sont pendus de nos jours.

— Mais non, dit Robin. Personne ne sera pendu aujourd'hui. Mes hommes et moi, on dit que les lièvres sont à nous. Et que nous l'avons autorisé à les prendre. Détachez-le, sinon…. gare à vous! »

Les compagnons de Robin sont bien trop nombreux! Les hommes du shérif ne sont pas fous et libèrent Alan. Encore sous le choc, le jeune garçon trébuche vers Robin. Il est content d'être vivant, mais il sait qu'il ne peut pas retourner chez son maître.

« N'oublie pas d'apporter notre souper, mon garçon », dit Robin en montrant les lièvres du doigt. Ce soir, c'est toi qui fais la cuisine. »

L'art de la guerre

Au Moyen Âge, les conflits entre les rois et les nobles entraînent souvent des guerres. La guerre coûte cher. Il faut réunir beaucoup d'argent pour se battre. On évite donc les combats, si possible.

Peu à peu, l'art de la guerre change : on met au point de nouvelles machines et méthodes de guerre.

Le siège

Quand une armée entoure les murs d'un château et empêche son approvisionnement, on dit que le château est en état de siège ou assiégé. Souvent, les ennemis brûlent les maisons et les champs voisins. Ils prennent les réserves de nourriture et empoisonnent parfois les puits. Ils veulent obliger l'autre camp à se rendre ou à mourir de faim. Parfois, les attaquants sont obligés de lever le siège sans avoir conquis le château.

L'attaque d'un château

Il y a plusieurs façons d'attaquer un château. On peut :

1. vider l'eau des fossés (douves), les remplir de terre pour atteindre les murs ou creuser des galeries pour que les murs s'effondrent;
2. tirer derrière d'énormes boucliers de bois appelés « mantelets »;
3. utiliser une tour d'assaut pour franchir le sommet des murs;
4. lancer des boulets de pierre contre les murs à l'aide d'une machine appelée « perrière »;
5. utiliser une énorme catapulte appelée « trébuchet ». Elle permet de jeter de gros projectiles (pierres, cadavres d'animaux ou objets enflammés) par-dessus les murs.

Vers 1400, on attaque les châteaux avec des canons. En 1450, ils sont assez puissants pour percer des trous dans les murs de défense.

Les béliers servent à défoncer les portes. Une sorte de tente, couverte de peaux mouillées, protège les attaquants de l'huile ou de l'eau bouillante versée du haut des murs.

Le champ de bataille

En été, les ennemis combattent sur des champs de bataille. Les chevaliers sont à cheval. Ils avancent en rangs et chargent leurs adversaires. L'armure les protège. Ils se battent aussi à l'épée, à la lance et à la masse.

Les fantassins (soldats à pied) portent une armure plus légère. Leurs armes sont l'épée, la hache et la masse. Les archers ou arbalétriers se tiennent derrière la ligne de front et tirent en direction du camp ennemi.

Un arc peut tirer six flèches en une minute. Les arbalètes ne peuvent tirer qu'un coup par minute, mais elles sont assez puissantes pour percer une armure.

Les batailles peuvent durer des heures et faire des milliers de victimes. À la fin des combats, on achève les blessés graves pour éviter qu'ils souffrent.

Après la défaite d'un château ou d'une ville, les vainqueurs tuent souvent beaucoup de gens. En général, ils emprisonnent les chevaliers et les nobles pour obtenir des rançons.

Faire ♦ Discuter ♦ Découvrir

1. Dans ton cahier, prends des notes en T sur l'art de la guerre. Pour en savoir plus sur les notes en T, consulte la page 67.

La Grande Charte

L'Angleterre traverse une période difficile sous le règne de Jean sans Terre. Le pays est ruiné par les guerres. Au lieu d'étendre ses territoires et ses richesses, le royaume est de plus en plus pauvre. Le roi demande toujours plus d'argent aux manoirs et aux villes. Il accorde des chartes aux villes pour recueillir des taxes. (Autrefois, ces taxes étaient versées aux seigneurs.) Il s'oppose aussi au pape.

Un évêque

« Le roi n'a pas le droit de se mêler des affaires de l'Église. Il refuse d'accepter le chef de l'Église anglaise que nous avons choisi – l'archevêque de Cantorbéry. L'Église a le droit d'élire ses chefs sans interférence royale.

« Il s'est fâché avec le pape, qui a fermé toutes les églises d'Angleterre pendant un an pour punir le roi. Tout le monde souffre de la mauvaise conduite du roi. »

Jean sans Terre

« Je suis roi et le roi est libre de prendre des décisions. Mes vassaux n'ont pas à me dicter ma conduite.

« Je dois agir pour le bien de tout le royaume – pas pour satisfaire certaines personnes. J'ai besoin d'hommes pour protéger le territoire de ce pays. L'armée me coûte cher. Je crée des taxes, quand c'est nécessaire. »

Un noble

« Le roi ne consulte pas ou n'écoute pas ses conseillers. Il exige tous les revenus de nos cours de justice : les amendes versées par les condamnés. Pourtant, nous avons droit à cet argent. Il croit que nous allons accepter toutes ses décisions sans nous plaindre!

« Le roi devrait convoquer une assemblée de nobles quand il veut imposer de nouvelles taxes. Il ne devrait pas agir sans leur accord. Les nobles peuvent garantir qu'il respectera ses promesses. »

Un marchand

« Le roi jette les gens en prison sans procès. Nous avons obtenu le droit d'être jugés par nos pairs, il y a un siècle.

« Il a également supprimé une partie des droits que nous donnent les chartes des villes pour établir le montant des taxes. Il gêne le commerce en exigeant toujours plus d'argent. »

Un noble

« Le roi n'est pas un bon chef guerrier. Il ne se bat pas assez fort. Il passe son temps à se disputer avec les nobles et les autres rois. À cause de lui, nous avons perdu en France beaucoup de terres et de richesses qui appartenaient à l'Angleterre. »

Une marchande

« Mon mari a travaillé dur pour faire le commerce de la soie. À sa mort, j'ai continué son travail. Mais les marchands de l'Orient refusent de venir ici parce que les droits de douane sont trop élevés. »

En 1215, les nobles ou barons anglais se révoltent contre Jean sans Terre. Ils l'obligent à signer la **Grande Charte** [*Magna Carta* en latin] dans la prairie de Runnymede, à l'ouest de Londres.

Certaines garanties de la Grande Charte

1. Les droits des nobles seront respectés.
2. Aucun impôt ne sera exigé sans l'accord du Conseil Commun du Royaume.
3. Aucun homme libre ne sera saisi ou emprisonné ou dépossédé sans un jugement légal, conforme aux lois du pays.
4. Les prisonniers seront jugés dans des délais raisonnables.
5. Toutes les amendes imposées par une cour de justice manoriale appartiendront au seigneur du manoir.
6. L'Église conservera ses droits; elle est libre d'élire les personnes de son choix aux différents postes de l'Église.
7. Les marchands peuvent faire du commerce sans payer de taxes supplémentaires.
8. Les poids et les mesures seront les mêmes pour tous, d'un commun accord.

Le droit de ne pas être emprisonné sans procès est un des résultats des clauses de la Grande Charte.

Faire ◊ Discuter ◊ Découvrir

1. Revois les pages 98 et 99. Fais un tableau et utilise-le pour classer les personnages d'après leur rang social. Quel est le groupe qui n'est pas représenté?
2. D'après la garantie 8 ci-dessus, il y aura un système commun de poids et de mesures. Quels sont les avantages d'un système unique?

Le diagramme cause-effet

Quand on étudie l'histoire ou quand on suit les nouvelles à la télévision, on se demande souvent pourquoi un événement est arrivé. Pour répondre à cette question, il faut comprendre les causes de l'événement. Souvent, plusieurs facteurs provoquent un événement et les événements entraînent eux-mêmes des changements – c'est-à-dire qu'ils ont un effet.

Pour mieux comprendre la situation, on peut utiliser un diagramme cause-effet :

1. Identifie la ou les causes (ce qui explique un événement). Parfois, il y a plusieurs causes.
2. Décris l'événement, c'est-à-dire l'action provoquée par les causes.
3. Décris les effets ou changements, c'est-à-dire les conséquences de l'événement.

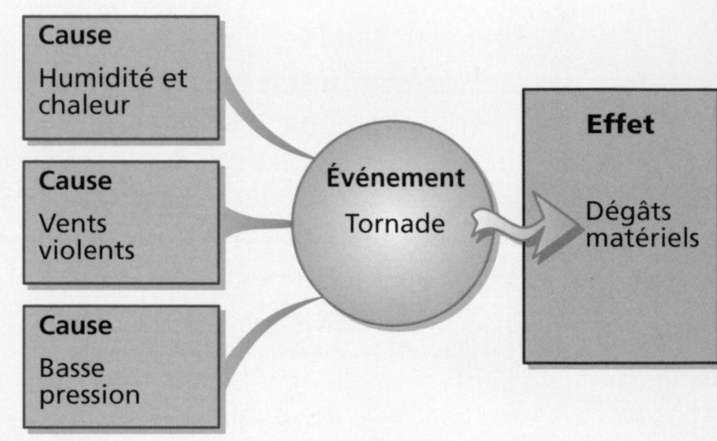

Faire ◊ Discuter ◊ Découvrir

1. Dessine un diagramme cause-effet dans ton cahier. Utilise le contenu des pages 98 et 99 pour remplir ce diagramme. Indique les causes et les effets de la Grande Charte. Partage ton travail avec un-e partenaire et discutez-en.

J'utilise mes connaissances

Compréhension des concepts

1. Relève les mots nouveaux du chapitre 7 dans la partie Vocabulaire de ton cahier. Ajoute des diagrammes ou des dessins pour mieux te souvenir des mots et des définitions.

Maîtrise des habiletés de recherche et de communication

2. À la bibliothèque ou sur Internet, trouve et lis une légende ou un récit sur l'époque médiévale. Partage-le avec un-e élève.
3. Imagine que tu es le crieur public et que tu annonces la signature de la Grande Charte. Écris le message en tes propres mots. Souviens-toi qu'il faut vite attirer l'attention des gens et inclure les faits importants. Exerce-toi et présente ton message à la classe.
4. Crée une affiche annonçant un concours d'archers pour les hommes qui veulent entrer dans l'armée royale. Inclus tous les renseignements importants (quoi, quand, où, pourquoi, etc.). N'oublie pas que la plupart des gens ne savent pas lire. Utilise des images pour communiquer ton message.

Application des concepts et habiletés à différents contextes

5. En groupes de trois, discutez du sujet suivant.
   - Comment choisit-on les chefs politiques aujourd'hui?

   Dans votre discussion, comparez la façon de choisir les gouvernements aujourd'hui et ce qui se passait dans les royaumes du Moyen Âge.

rojet médiéval

1. Examinez la liste de tâches qu'il faut encore effectuer.
2. Créez un premier modèle ou prototype de votre jeu. Distribuez les tâches – par exemple : rédiger les règles du jeu; faire une première version du jeu sur du papier journal; faire ou recueillir tous les autres éléments du jeu. Collectivement, créez le prototype de votre jeu.
3. Quand votre groupe sera prêt, jouez quelques parties pour tester le jeu. Prenez des notes sur les changements à apporter. Rangez-les dans votre dossier.
4. Identifiez les renseignements importants du chapitre 7 sur le royaume médiéval pour les inclure dans votre jeu, sous la forme que vous avez choisie.

Chapitre 8
La vie à la cour

Au Moyen Âge, beaucoup de gens vivent à la cour. Les invités et les conseillers du roi assistent à des banquets et à des divertissements dans leurs plus beaux vêtements. Parfois, les besoins du royaume passent avant les désirs personnels du roi.

À retenir!

Sujets traités au chapitre 8 :

- la cour royale
- les conseillers et les courtisans
- les banquets
- les vêtements et autres biens
- les divertissements
- Noël à la cour
- l'Église et le royaume

Vocabulaire

cour [royale]	courtisan
pétition	échiquier

La cour royale

Au Moyen Âge, la **cour** a deux sens. C'est :

- le roi, les conseillers et les personnes importantes qui gouvernent le royaume;
- la résidence du roi.

Les séances de la cour

Il y a des séances officielles où le roi traite des affaires importantes du royaume. Mais on discute des sujets graves à d'autres occasions aussi : aux banquets et aux parties de chasse, par exemple.

La vie de la cour est très animée. Toutes sortes de gens – nobles, dignitaires de l'Église, gens de la ville – essaient de rencontrer le roi. La plupart rencontrent d'abord un conseiller ou un membre respecté de la famille royale.

Les gens apportent des **pétitions** (demandes écrites) sur divers sujets : les chartes, les taxes, les armées, l'approvisionnement, les famines, les récoltes, par exemple. Parfois, ils viennent parler des dangers qui menacent le royaume ou des conflits au sein du peuple.

Le roi tient à savoir ce qui se passe dans son royaume. Ses conseillers lui permettent de voir les problèmes de différentes façons.

Sur ce sceau royal, le roi Guillaume tient les symboles de son autorité : l'épée et le globe.

La résidence royale

En général, en Angleterre, la résidence royale principale est à Londres ou dans la région voisine. Mais le roi possède beaucoup de manoirs et de châteaux dans tout le pays.

Le roi voyage avec toute sa cour, c'est-à-dire : la famille royale, les courtisans, les domestiques, les chiens, les chevaux et des provisions. Il examine les pétitions et essaie de maintenir l'ordre dans tout le royaume. Le cortège royal se déplace lentement. Parfois, toute la cour s'arrête au château ou au manoir d'un noble. La visite du roi est un grand honneur, mais elle coûte très cher au seigneur.

Le courrier royal

Le roi, les nobles et les hauts responsables de l'Église échangent des lettres. Ces messages portent le sceau de leur auteur et ils sont livrés personnellement. Des fidèles servants galopent au plus vite pour livrer les lettres du roi.

Conseillers et courtisans

Beaucoup de gens vivent à la cour : les membres de la famille royale; les conseillers et les officiers du roi; des **courtisans** et de nombreux domestiques. Parmi les courtisans, il y a des invités, des ambassadeurs étrangers, des dames de compagnie et des chevaliers.

Plusieurs personnes de confiance aident le roi à diriger le royaume. En général, ce sont les vassaux les plus puissants du roi.

Il y a deux façons d'exercer la justice et de maintenir l'ordre. Il y a la justice rendue par le roi et la justice rendue par les officiers qui représentent le roi. Quand le roi est absent, différents officiers prennent les décisions royales. Les régisseurs jouent ce rôle dans les manoirs royaux.

Le chambellan est le trésorier du roi. Il est également responsable de la chambre royale. Au tout début du Moyen Âge, les rois gardent les biens de valeur dans leur chambre. Le chambellan doit donc être digne de confiance.

L'échiquier

Deux fois par an, les shérifs du roi apportent les taxes qu'ils ont recueillies au trésorier du roi. Les officiers royaux vérifient les comptes à l'aide d'un « comptoir » ou « **échiquier** » : c'est un carré de tissu divisé en 8, 10 ou 12 colonnes. Ce système a été mis en œuvre par Henri Ier (pour en savoir plus, voir www.cgb.fr/monnaies/jetons/comptes.html).

Un auteur médiéval présente une copie de son livre au roi, sous le regard des courtisans.

Les domestiques assurent le confort de la famille et des invités; ils veillent sur les chevaliers, le château, l'armurerie et les animaux.

Les enfants royaux

Le fils aîné est l'héritier de la famille royale. Il doit se préparer au métier de roi. Les autres fils deviennent chevaliers et apprennent à gérer les grands domaines.

Le mariage des enfants royaux permet de créer et de renforcer les alliances avec d'autres royaumes. Ces mariages sont souvent arrangés dès l'enfance. Parfois, les princesses vont vivre dans la famille de leur futur mari dès leur jeune âge. On les prépare à leurs responsabilités de futures reines. Les princes vont dans d'autres cours et deviennent pages.

Faire ♦ Discuter ♦ Découvrir

1. Dans ton cahier, décris tout ce qu'il faut faire pour présenter une pétition au roi.

La table du roi

Les banquets royaux sont élaborés, colorés et bruyants. Le son des trompettes annonce le repas et l'arrivée du couple royal. Les invités d'honneur sont assis à la table haute (la table du roi).

Un serviteur apporte un large vase rempli d'eau (une aiguière), dans lequel les invités se lavent les mains.

L'échanson sert à boire au roi. Un goûteur goûte les mets et les boissons pour s'assurer qu'ils ne contiennent aucun poison.

Les mets

Les invités ont le choix entre de nombreux plats : soupes, viandes (porc et mouton), poissons et oiseaux rôtis (cigognes, paons, cygnes, cormorans, tourterelles et faisans). On sert aussi des sauces et des légumes.

Les cuisiniers font tout pour plaire au roi et divertir les invités. Les plats sont superbement décorés. Il y a des distractions entre les mets et même des pâtés d'oiseaux vivants, qui s'envolent quand on découpe la croûte.

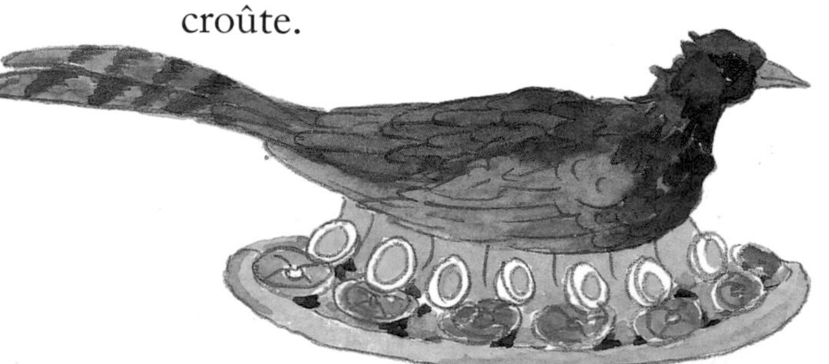

Le savais-tu?

Au XIIe siècle, un banquet à entremets est un banquet où il y a des spectacles *entre les mets*. C'est l'origine du mot « entremets ».

Fenouil au gingembre

750 g de racine de fenouil fraîche, lavée et coupée en bâtonnets
225 g d'oignon finement tranché
7 mL de gingembre en poudre
5 mL de safran en poudre
2 mL de sel
30 mL d'huile d'olive
150 mL de vin blanc sec; 150 mL d'eau
6 grosses tranches de pain complet (facultatif)

Mélanger les six premiers ingrédients et cuire à feu moyen. Ajouter les liquides. Porter à ébullition, puis laisser mijoter de 20 à 30 minutes (sans laisser cuire trop longtemps). Servir avec un rôti, du poisson séché ou verser sur une tranche de pain dans une assiette.

– adaptation d'une recette des cuisiniers de Richard II
(Voir aussi http://perso.wanadoo.fr/parchemin/cuisine.htm)

Faire ♦ Discuter ♦ Découvrir

1. Relis la page 21 sur les repas des villageois. Dans ton cahier, crée un diagramme de Venn pour indiquer les points communs et les différences entre les mets servis à la cour et dans un village au Moyen Âge.

Vêtements et objets

La famille royale, les courtisans et les personnes importantes portent des magnifiques vêtements et bijoux. C'est une façon de montrer leur richesse et leur rang aux visiteurs et aux ambassadeurs des autres cours.

Grâce au commerce avec d'autres royaumes, les gens riches peuvent acheter des étoffes précieuses et des objets de luxe. On importe des fourrures, des étoffes de soie et de velours, des bijoux, de la vaisselle décorée, des objets en métaux précieux, des œuvres d'art, par exemple. Parce que les voyages sont plus faciles, le commerce s'étend : les objets et les vêtements sont de plus en plus élaborés.

Les vêtements et les coiffes sont brodés de perles et de pierres précieuses. Les hommes et les femmes portent des bagues et d'autres bijoux.

Les dirigeants de l'Église portent des robes richement brodées d'or et d'argent.

Certains objets personnels – les petits coffrets et les manuscrits, par exemple – sont décorés d'or, de pierres précieuses, de gravures ou de peintures. Souvent, les membres de la famille royale et les nobles possèdent des croix, des tableaux et d'autres objets religieux créés par de grands artistes.

Les joyaux de la Couronne appartiennent à la famille royale britannique. Ce sont les symboles officiels de l'autorité royale (ils ne lui appartiennent pas personnellement). La couronne, le sceptre et le globe font partie de la cérémonie du couronnement. Ils sont conservés à la Tour de Londres.

Je fabrique une couronne

Fournitures :

- feuille de carton souple
- ciseaux, ruban adhésif, colle
- gros trombones
- papier d'emballage doré ou aluminium

Au choix :

- peintures métallisées
- paillettes de couleur
- pierres et perles de fantaisie

1. Reproduis le patron **A** ci-contre en doublant les dimensions. Puis, découpe trois morceaux identiques dans du carton souple.
2. Assemble ces trois morceaux pour former une seule bande (avec des coutures de 1 cm).
3. Enroule cette bande autour de ta tête pour déterminer la taille de la couronne. Tu peux ajuster la taille en faisant glisser les deux extrémités l'une sur l'autre. Fixe-les à l'aide d'un trombone.
4. Découpe un morceau de papier or ou argent assez grand pour recouvrir toute la couronne posée à plat (diagramme **B**).
5. Pose la couronne à plat au dos du papier d'emballage. À l'aide de ciseaux, entaille le papier tous les quelques centimètres (voir diagramme **B**) pour pouvoir recouvrir toute la surface en carton de la couronne. Replie soigneusement le papier métallisé et fixe-le avec du ruban adhésif. Enlève le surplus de papier métallisé à l'aide des ciseaux; puis, replie et fixe-le pour recouvrir les motifs en forme de diamant.
6. Utilise ton imagination pour décorer cette couronne. Par exemple, fabrique des pierres en 3 dimensions en carton. Peins la base avec de la peinture métallisée et colle des paillettes de couleur. Colle les décorations de ta couronne.

A

(3 x)

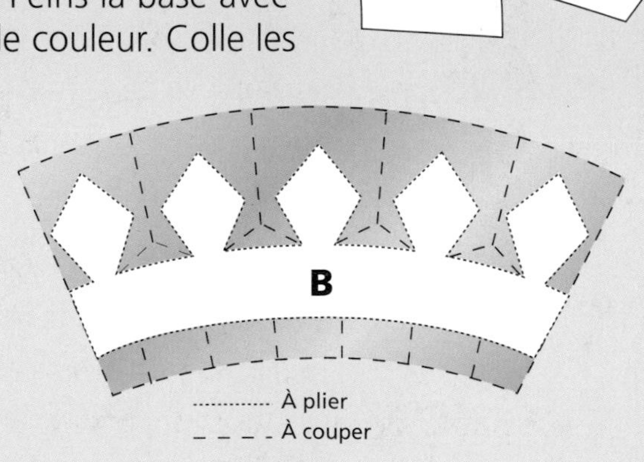

Les divertissements

La famille royale et les courtisans aiment se divertir. Il y a des spectacles, des jeux, des parties de chasse et de fauconnerie.

La fauconnerie occupe une place importante chez les nobles. Il faut de nombreuses heures pour dresser les oiseaux de proie. Le faucon ou l'épervier sert à chasser. Il n'a pas le droit de manger les proies qu'il attrape. À la fin d'une journée de chasse, on le nourrit et on le laisse voler librement pour le récompenser.

Les faucons sont emmenés à la chasse sur le poing des chasseurs, protégé par un gros gant de cuir – le gantelet. Quand ils ne chassent pas, les oiseaux ont la tête recouverte d'un capuchon (ce qui les calme).

La musique

Les ménestrels et les troubadours donnent des spectacles dans les châteaux, les manoirs et les foires. Ils chantent des ballades qui parlent de rois, de héros, de guerre, de chevalerie et d'amour. La lyre, la guiterne (ou quinterne), la harpe, la cornemuse, la vielle et le tambourin sont quelques instruments de musique du Moyen Âge.

La chasse

Les forêts anglaises appartiennent au roi. La chasse est un sport pratiqué par le roi et la cour. C'est aussi une source de gibier pour la table royale. Les chevaux et les chiens de chasse ont une grande valeur.

Faire ◊ Discuter ◊ Découvrir

1. a) Cherche le mot « ballade » dans le dictionnaire. Rédige une description dans la partie Vocabulaire de ton cahier.
   b) Associe-toi à un-e partenaire. Vous examinerez pourquoi les ballades étaient populaires. Relevez les idées importantes dans vos cahiers.

Les traditions de Noël

Au Moyen Âge, la fête des fous et la fête de l'âne sont très populaires.

La fête des fous est célébrée le jour de Noël, le jour de l'An ou de l'Épiphanie. Elle rappelle les fêtes romaines. C'est un jour de liberté où les domestiques deviennent les maîtres et les maîtres les domestiques.

La fête de l'âne est célébrée dans certaines villes la veille de Noël ou au cours des secondes vêpres le 25 décembre : en souvenir de la fuite en Égypte, une jeune fille tenant un enfant dans ses bras entre dans une église à dos d'âne.

Pour en savoir plus, visite le site du Musée virtuel du Canada (www.museevirtuel.ca/Exhibitions/Noel/franc/fous.htm).

Au Québec, le 6 décembre est le jour de la Guignolée. On récolte des fonds et de la nourriture pour les gens pauvres. Cette tradition remonte au Moyen Âge. Pour l'occasion, les gens portaient des lampions taillés dans des navets ou des pommes de terre à l'intérieur desquels on déposait une chandelle. Puis ils frappaient aux portes des maisons et chantaient des chants de Noël pour remercier ceux qui donnaient généreusement.

Les fêtes de Noël commençaient le jour de la Saint-Nicolas (le 6 décembre) et se terminaient le jour de l'Épiphanie (le 6 janvier). La chasse, les tournois et les banquets faisaient partie des célébrations.

À l'époque de Noël, les pièces de théâtre sur saint Georges et le dragon étaient très populaires à la cour d'Angleterre.

Les rois se faisaient des cadeaux extraordinaires. En 1236, le roi de France a offert un éléphant vivant à Henri III d'Angleterre!

L'Église et le royaume

Les membres du haut clergé jouent un rôle important au Moyen Âge. Souvent, ils conseillent le roi. Mais ils placent les besoins de l'Église avant tout. Parfois, l'Église et le roi ne sont pas d'accord sur des questions de pouvoir, d'argent ou sur les affaires du royaume.

Henri II et Becket

Le roi Henri II et Thomas Becket étaient des amis de longue date. Ils chassaient ensemble et se rendaient visite. Le roi avait même envoyé un de ses fils chez Becket pour qu'il devienne page.

Puis, avec l'appui du roi, Becket devient archevêque de Cantorbéry *[Canterbury]*. Mais Becket prend son rôle très au sérieux. Il refuse d'apporter les changements souhaités par le roi.

À l'époque, l'Église a ses propres cours de justice pour juger les membres du clergé. Henri II veut changer ce système. Becket et le roi se querellent violemment.

Henri II se plaint de son archevêque; il aimerait bien se débarrasser de lui. Pour plaire au roi, quatre de ses chevaliers assassinent Thomas Becket dans la cathédrale de Cantorbéry, un soir de 1170.

Tout le monde est horrifié par ce crime, y compris le roi. Le pape chasse Henri II de l'Église. Les églises anglaises restent fermées pendant des années. Henri II doit exprimer ses regrets et son repentir publiquement pour obtenir le pardon du pape.

Deux ans plus tard, Thomas Becket est canonisé (admis parmi les saints). Cantorbéry devient un lieu important de pèlerinage.

Ce coffret contient une relique de saint Thomas Becket.

J'utilise mes connaissances

Compréhension des concepts

1. Recopie le diagramme ci-dessous dans ton cahier. Complète-le pour montrer que la religion jouait un rôle important à la cour. Ajoute d'autres parties au diagramme, si nécessaire.

2. Choisis un des aspects importants de la vie à la cour et rédige des notes en T dans ton cahier. Essaie d'inclure au moins 3 sujets secondaires (sous 3 sous-titres).
3. Relève les mots nouveaux du chapitre 8 dans la partie Vocabulaire de ton cahier. Ajoute des diagrammes ou des dessins pour mieux te souvenir des mots et des définitions.

Maîtrise des habiletés de recherche et de communication

4. À la bibliothèque ou sur Internet, fais une recherche sur un roi ou une reine d'Angleterre qui a régné entre 1000 et 1400. Prends des notes.

Application des concepts et habiletés à différents contextes

5. Trouve et lis une histoire tirée du Roman de Renard. Qui représente le roi? Qui représentent les autres animaux? Pourquoi utilisait-on des animaux pour critiquer la société ou le roi au Moyen Âge? Utilise-t-on encore des animaux pour représenter des êtres humains? Donne quelques exemples.

Projet médiéval

1. Au sein de votre groupe, créez une fiche d'évaluation pour vérifier si le prototype du jeu fonctionne bien. Vous pouvez utiliser les critères suivants : Est-ce que le jeu est intéressant? Est-ce qu'il permet d'apprendre quelque chose? Est-ce que la durée, le niveau de difficulté et les règles du jeu sont convenables?
2. Demandez à chaque membre d'évaluer le prototype à l'aide de la fiche. Ensuite, discutez des résultats. Décidez des changements à effectuer (conception du plateau; exploitation des informations tirées du manuel; règles du jeu, etc.).
3. Identifiez les points importants du chapitre 8 sur la vie à la cour pour les inclure dans votre jeu sous la forme que vous avez choisie.

Chapitre 9
Les croisades

De 1095 à 1291, une série de guerres de religion – les **croisades** – bouleverse la vie des gens. Les croisades coûtent très cher en vies humaines et en argent. Elles permettent aussi aux Européens d'apprendre des choses importantes sur le mode de vie du Moyen-Orient. Ils découvrent des idées et des produits qui font encore partie de notre vie aujourd'hui.

À retenir!

Sujets traités au chapitre 9 :
- la Terre Sainte
- la culture islamique au Moyen Âge
- les croisades
- Saladin et Richard Cœur de Lion
- la ligne du temps
- les conséquences des croisades

Vocabulaire

croisades	Coran
Terre Sainte	calligraphie
mosquée	mosaïque

La Terre Sainte

Le judaïsme (la religion juive), le christianisme et l'islam ont été fondés au Moyen-Orient. Certains endroits sont des lieux sacrés pour les trois groupes. Au Moyen Âge, cette région est souvent appelée la **Terre Sainte**.

La majeure partie de la région est une zone de déserts brûlants, de collines et de montagnes rocheuses. On y trouve aussi quelques terres très fertiles. Quand il y a de l'eau, les récoltes poussent bien. En général, l'agriculture est pratiquée dans les vallées, le long de la mer, près des puits et des sources. Les gens vivent surtout dans des villages et des villes. Il y a quelques grandes villes enrichies par le commerce.

Le climat chaud et sec de la Terre Sainte est complètement différent du climat frais et humide d'une grande partie de l'Europe.

Jérusalem

Aujourd'hui comme au Moyen Âge, Jérusalem est une ville sainte pour les trois religions. (La ville se trouve dans l'État moderne d'Israël.) Pour les chrétiens, c'est le lieu de la mort et de la résurrection du Christ. Pour les juifs, c'est là que se trouvait le Temple de Salomon. Pour les musulmans, le prophète Mahomet est monté au ciel à Jérusalem.

Pour beaucoup de chrétiens du Moyen Âge, le pèlerinage à Jérusalem est le voyage le plus important de la vie (à ce sujet, voir la page 60).

La **mosquée** al-Aqsa et le dôme du Rocher se trouvent à l'endroit où le prophète Mahomet est monté au ciel, selon le Coran.

La partie ouest du mur (appelé « mur des Lamentations ») est tout ce qu'il reste du Temple de Salomon.

Faire ◊ Discuter ◊ Découvrir

1. Examine la carte de la page 30. Dessine une carte croquis dans ton cahier pour montrer où se trouve Jérusalem.

L'islam

Le prophète Mahomet est le fondateur de l'islam. Il est né en 570 dans le pays qui est aujourd'hui l'Arabie Saoudite. Il a transmis la parole de Dieu (Allah) dans le **Coran** (Qur'an) et a commencé à enseigner à La Mecque. La première communauté islamique a été fondée à Médine. Tous ces lieux sont sacrés pour les musulmans.

Dans les 100 ans qui ont suivi, les dirigeants musulmans ont étendu leur autorité sur une vaste région. Différentes branches religieuses ont été créées, mais elles partagent les mêmes croyances fondamentales.

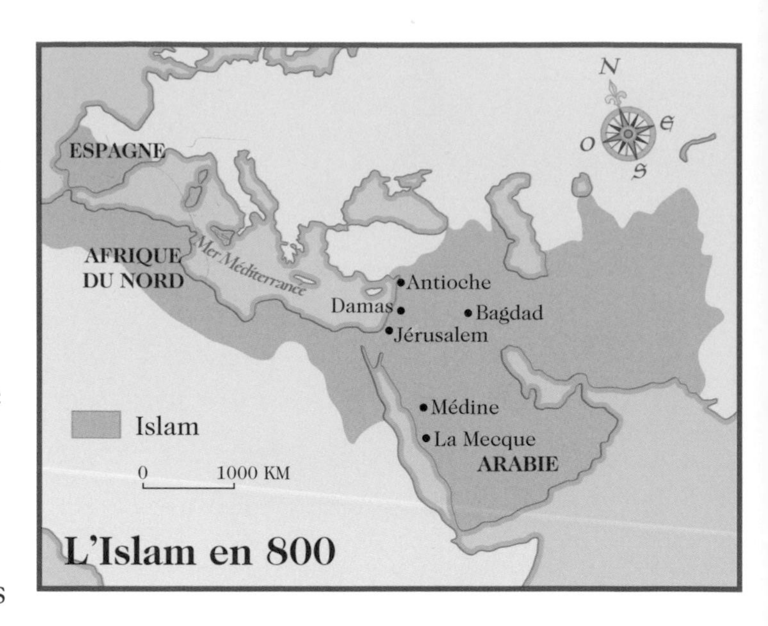

L'Islam en 800

Le savais-tu?
En français, l'islam désigne la religion; l'Islam (avec une majuscule) est l'ensemble des pays ou cultures islamiques.

Aujourd'hui, il y a des mosquées dans toutes les régions islamiques du monde. En général, elles sont construites avec des matériaux locaux. Elles ont un minaret – une haute tour qui sert à appeler les gens à la prière. À l'intérieur, on trouve une petite fontaine où les fidèles se lavent avant de prier et une niche (un espace creux dans l'épaisseur du mur) tournée vers La Mecque. Les gens se tiennent en rang, debout ou à genoux, en face de la niche.

Cette mosquée moderne est à Toronto.

Les cinq piliers de l'islam

Voici les cinq obligations qui sont le fondement du mode de vie islamique :

1. la profession de foi : « Il n'y a pas d'autre dieu qu'Allah et Mahomet est son messager (prophète). »
2. la prière : cinq fois par jour, dans la direction de La Mecque
3. le jeûne (de l'aube jusqu'au coucher du soleil) pendant le mois de Ramadan
4. la « zakat » (l'aumône ou le soutien financier aux pauvres)
5. le pèlerinage à La Mecque une fois dans la vie pour ceux qui en ont les moyens.

La vie en Terre Sainte

Les maisons

En Terre Sainte, les maisons ont des murs extérieurs épais et frais. Elles s'ouvrent sur des cours intérieures. Dans les jardins, il y a souvent des bassins ou des fontaines, des arbres et des fleurs.

Les hommes et les femmes vivent dans des appartements séparés. Des tapis et des coussins rendent les pièces agréables pour les repas, les conversations, les jeux tels que les échecs, les soirées de poésie et de musique.

La nourriture

La région produit beaucoup de fruits (cerises, figues, dattes, raisins, fraises, oranges, citrons, abricots, pêches, entre autres). Les céréales fournissent la farine qui sert à faire le pain. Les gens consomment aussi du poisson, des légumes et certaines viandes telles que le mouton (le porc est interdit par le Coran).

Grâce au commerce, le sucre de canne est une source de richesse. L'huile d'olive est utilisée pour la cuisine et l'éclairage. Elle sert aussi à faire du savon.

On utilise la neige des montagnes lointaines pour préparer des boissons glacées et des sorbets (de l'arabe *surbat*). On sert des boissons à base de céréales ou de jus de fruits et de miel. Les boissons alcoolisées et les vins sont interdits.

Les vêtements

Les hommes et les femmes portent plusieurs épaisseurs de longs vêtements amples. Ils se couvrent la tête pour se protéger du soleil. À l'extérieur, les femmes ont aussi le visage voilé.

Les vêtements sont en coton, en soie, en laine et en lin. À l'origine, les marchands musulmans importaient la soie et le coton de la Chine et de l'Inde. Au Moyen Âge, ces tissus sont fabriqués au Moyen-Orient et exportés vers l'Europe. Les gens portent des babouches – des chaussures de tissu ou de cuir léger.

Faire ◊ Discuter ◊ Découvrir

1. Choisis un tableau ou diagramme pour comparer la vie en Terre Sainte et la vie dans un château au Moyen Âge (voir le chapitre 4).

Idées et technologie

À l'époque des croisades, les pays islamiques sont très en avance sur l'Europe dans le domaine des sciences, de la technologie, des mathématiques et de la médecine. Les grandes villes possèdent d'immenses bibliothèques. L'éducation et les idées sont très importantes.

Il y a des personnes qui ont des connaissances très étendues. Elles ont étudié et traduit les œuvres importantes de la Grèce et d'autres civilisations anciennes (la plupart de ces écrits sont inconnus en Europe). Beaucoup de livres de la Grèce ancienne sont connus et enseignés aujourd'hui grâce aux travaux de savants musulmans.

Ces astronomes musulmans utilisent divers instruments : le compas, l'équerre, le rapporteur, le sextant, la règle, le globe et le sablier.

À mesure que l'Islam s'étend, des idées et des produits nouveaux sont échangés et adoptés. Dans les régions où ils font du commerce, les marchands musulmans découvrent des choses nouvelles. Par exemple, les chiffres que nous utilisons ont été transmis depuis l'Inde par des scribes musulmans.

Le sextant et l'astrolabe ont été perfectionnés par des astronomes musulmans (savants qui étudient les étoiles). Ils permettent aux navigateurs de calculer leur position à partir des angles formés par les étoiles et le soleil. Grâce à ces instruments, les voyages deviennent beaucoup moins dangereux.

Les arts

Le Coran interdit aux artistes de montrer l'image d'êtres humains et d'animaux. Les artistes s'expriment donc par des formes géométriques, des motifs floraux et la **calligraphie** (forme d'écriture artistique).

Des extraits du Coran servent à décorer les édifices et certains objets – la vaisselle, par exemple. Les parchemins et les livres sont ornés d'enluminures. Les architectes utilisent aussi des carreaux de céramique et des **mosaïques**.

Faire ◊ Discuter ◊ Découvrir

1. Collectivement, la classe préparera 5 questions pour guider la recherche sur le sextant et l'astrolabe (mais vous ne devez pas faire cette recherche).

Les croisades

Au Moyen Âge, la Terre Sainte et les régions voisines sont contrôlées par des peuples musulmans. Les pèlerins traversent ces territoires pour atteindre Jérusalem et les autres lieux saints.

Vers 1050, la région est dominée par un groupe islamique : les Turcs seldjoukides. Ils interdisent aux chrétiens d'entrer sur leurs territoires.

En 1095, le pape Urbain II demande aux chrétiens – aux rois, aux chevaliers et aux soldats – de reconquérir la Terre Sainte. Il compte sur des dons et des taxes pour financer la guerre. Toutes sortes de gens répondent à l'appel du pape, pour des raisons très différentes.

Un moine
« Quand je suis devenu moine, j'ai promis d'obéir à la volonté de Dieu. Le Saint Père dit que Dieu souhaite cette croisade. Je vais donc partir et faire mon possible. »

Un marchand
« Les possibilités de faire du commerce sont énormes. Les Turcs dominent des marchés et des produits très importants. Je veux ma part de bénéfices. Et cette façon de voyager n'est pas plus dangereuse que les autres. »

Un forgeron
« Je ne veux pas passer ma vie à ferrer les chevaux au village. L'armée a besoin de forgerons. Je veux voir d'autres pays. Je vais peut-être revenir riche, quand on aura gagné. »

Un maçon et sa femme
« Le Saint Père a promis de pardonner les péchés des gens qui partent en croisade. Nous sommes certains d'avoir une place au paradis, le jour de notre mort. »

Beaucoup de gens ordinaires vont partir pour la Terre Sainte avant les armées de la première croisade. La plupart ont peu d'argent et de nourriture. Ils souffrent de la faim; ils volent les populations locales; ils sont attaqués par des bandits et des soldats en cours de route. Beaucoup de croisés* meurent sur les chemins.

En deux siècles, il y a eu huit croisades. Les croisés et les musulmans ont gagné et perdu des territoires. Il y a eu des milliers de victimes chez les chrétiens, les juifs et les musulmans.

*Les gens qui partent en croisade portent une croix cousue sur leurs vêtements. C'est pourquoi on les appelle des croisés.

La première croisade

Plusieurs armées partent pour la Terre Sainte par des chemins différents. Les croisés souffrent terriblement pendant le long voyage. Les hommes et les chevaux ne sont pas habitués à la chaleur du Moyen-Orient. Quand les chevaux meurent, les chevaliers continuent la route à pied en portant ou en traînant leur lourde armure de métal.

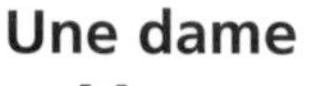

Une dame

« Mon mari m'a dit qu'il serait absent pendant plus d'un an. Je veux rester à ses côtés et l'aider à libérer la Terre Sainte. Mon beau-frère veillera sur nos terres. »

Un chevalier

« Mon seigneur a promis 50 chevaliers et chevaux. C'est mon devoir de faire cette croisade. Beaucoup de gens sont morts de maladies, de faim et de soif. Il y a eu des accidents et la traversée des cours d'eau a été dangereuse. Maintenant, nous devons combattre l'ennemi et nous sommes épuisés. »

Un potier

« Moi, j'ai voulu aussi partir pour découvrir la poterie et les mosaïques des musulmans. Je veux apprendre des nouvelles techniques. Tout le monde voudra acheter mes pièces et elles se vendront à un bon prix quand je rentrerai à la maison. »

Un seigneur

« C'est une guerre sainte. Il faut libérer les lieux sacrés où le Christ a vécu et où il est mort. Les chevaliers chrétiens ont le devoir de reconquérir la Terre Sainte et d'assurer la sécurité des pèlerins. »

En 1099, un millier de chevaliers et 10 000 autres soldats mènent plusieurs batailles et capturent une grande partie de la Terre Sainte, y compris Jérusalem.

Les sièges et les combats sont terribles. Les croisés sont sans pitié pour les habitants des villes conquises. Des milliers de gens ordinaires sont tués. Il y a beaucoup de violence et de cruauté. Les soldats et les chevaliers pillent les mosquées, les boutiques et les maisons. Ils emportent toutes les choses de valeur.

Pendant environ 200 ans, les croisés capturent et dominent certaines parties du Moyen-Orient. Ils construisent des châteaux et des églises; ils s'installent parmi les peuples musulmans. Durant ces années, ils adoptent certaines coutumes. De retour en Europe, ils rapporteront des idées, des produits et des goûts nouveaux.

Faire ◆ Discuter ◆ Découvrir

1. Revois les pages 117 et 118. Dans ton cahier, résume les raisons qui ont poussé les gens à partir en croisade.

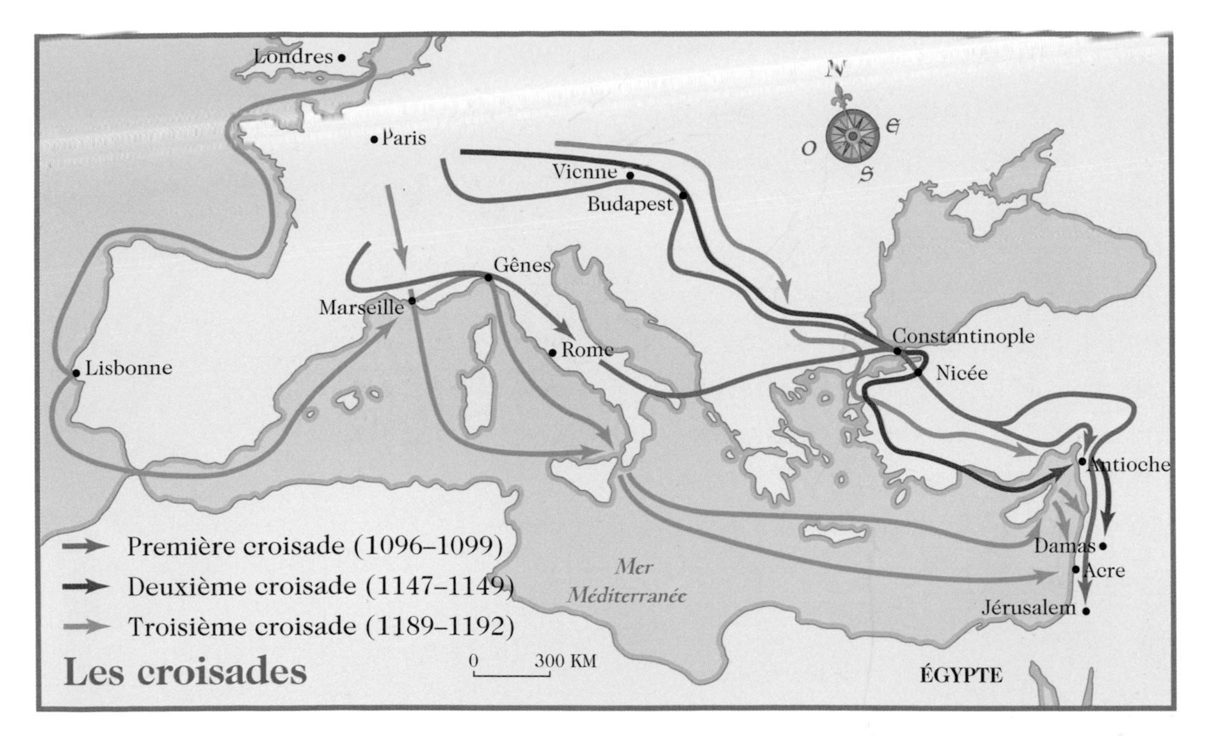

L'opposition islamique

Peu à peu, les forces islamiques se remettent de leur défaite initiale et s'organisent. En 1144, elles remportent leur première grande victoire sur les croisés.

En 1147, les chrétiens d'Europe commencent la seconde croisade pour défendre la Terre Sainte. Elle se termine en 1149.

En 1169, un chef musulman puissant, Saladin, arrive au pouvoir en Égypte. Pendant les 18 années qui suivent, les armées de Saladin capturent des châteaux et reprennent des territoires aux croisés. En 1187, Saladin enlève Jérusalem aux chrétiens. Le pape lance aussitôt une troisième croisade.

La troisième croisade

La troisième croisade est appelée « la croisade des rois ». Trois grands rois européens y participent : le roi de France (Philippe Auguste) et le roi d'Angleterre (Richard Cœur de Lion) voyagent par la mer. L'empereur germanique (Frédéric Barberousse) prend une route terrestre. Mais il se noie dans un fleuve et presque toute sa grande armée retourne en Europe.

En 1191, Philippe Auguste et Richard Cœur de Lion reprennent Acre et plusieurs autres villes. Philippe et ses soldats rentrent en France; Richard Cœur de Lion poursuit sa route. Après plusieurs batailles, Richard comprend qu'il ne pourra jamais reprendre Jérusalem. Il signe avec Saladin un traité comprenant une trêve de trois ans – ce qui garantit l'accès de Jérusalem aux pèlerins chrétiens.

Puis, les forces chrétiennes contrôlent presque toute la côte pendant environ un siècle. La dernière forteresse, la ville d'Acre, est perdue en 1291.

Saladin (1137–1193)

Saladin (en arabe *Salah al-Din*) est né en 1137 en Mésopotamie (l'Irak de nos jours). Il vient d'une famille militaire et se distingue par ses qualités de général. Il devient maître de l'Égypte en 1169 et de la Syrie en 1174. En formant une alliance entre différents groupes islamiques, il parvient à battre les chrétiens en Terre Sainte.

Saladin n'hésite pas à écraser ses ennemis pour atteindre ses objectifs. Mais tout le monde – ses alliés et ses opposants – reconnaît son esprit chevaleresque et son honnêteté.

Par exemple, les forces de Saladin étaient beaucoup plus nombreuses que celles des croisés en 1192. Mais, les croisés continuaient à résister, grâce au courage de Richard Cœur de Lion. Un jour, le cheval de Richard est tué. Richard continue à combattre à pied, mais sa vie est en danger. Saladin lui envoie rapidement des chevaux, lui demande d'en choisir un et de remonter en selle. C'est un exemple du respect que Saladin avait pour Richard Cœur de Lion.

Saladin est mort un an après la signature du traité.

Richard Ier (1157–1199)

Richard Ier est le fils d'Henri II Plantagenêt et d'Aliénor d'Aquitaine. Élevé en France, il devient duc d'Aquitaine* à l'âge de onze ans.

À la mort de son père, en 1189, Richard est couronné roi d'Angleterre. Aussitôt, il commence à réunir de l'argent et des troupes pour partir en croisade. Il confie les affaires du royaume à sa mère et à des conseillers.

D'un courage remarquable, Richard gagne le surnom de « Cœur de Lion » en Terre Sainte. Mais, malgré ses qualités, il se dispute souvent avec les autres chefs chrétiens. De retour en Europe en 1192, après la signature du traité avec Saladin, il est capturé par le duc d'Autriche. Ce dernier le livre à l'empereur germanique. Aliénor doit verser une énorme rançon de 150 000 marks (des millions de dollars) pour obtenir sa libération.

Rentré dans son royaume en 1194, Richard se fait couronner une seconde fois. Un mois plus tard, il repart en Normandie.

Richard est tué en France en 1199, en assiégeant le château d'un vassal.

*Prince aquitain plus que roi d'Angleterre, il n'a passé que six mois de son règne dans son royaume. Selon les historiens, il ne parlait probablement pas un mot d'anglais.

La ligne du temps

La ligne du temps est une ligne qui sert à représenter les événements dans l'ordre où ils se sont passés.

La ligne du temps peut aussi inclure des nombres, des mots et des illustrations. Elle peut être horizontale, verticale ou avoir d'autres formes. Par exemple, tu peux représenter les croisades sur une ligne du temps qui a la forme d'une longue bannière.

Pour créer une ligne du temps, suis les étapes ci-dessous :

1. Fais la liste des événements que tu veux inclure et la date de chaque événement.
2. Classe les événements dans l'ordre chronologique en commençant par le plus ancien.
3. Choisis la période que tu veux couvrir (date du début et date de la fin).
4. Divise ta ligne du temps en intervalles égaux (de 50 ou de 100 ans, par exemple). Il faut assez d'espace pour indiquer un événement ou faire un dessin.
5. Fais le brouillon de ta ligne du temps. Commence par indiquer la date du début et la date de la fin de la période que tu as choisie. Puis, place les autres dates sur la ligne et indique chaque événement.
6. Si tu veux faire une ligne du temps illustrée, demande-toi ce que tu vas dessiner. Tu peux :
   - dessiner un symbole ou une image à côté de chaque événement important;
   - décorer le cadre ou le reste de ta page.
7. Trace ta ligne du temps. Ajoute les indications et les illustrations nécessaires. Rédige un titre qui indique la période représentée : Richard Ier Cœur de Lion (1157–1199), par exemple.

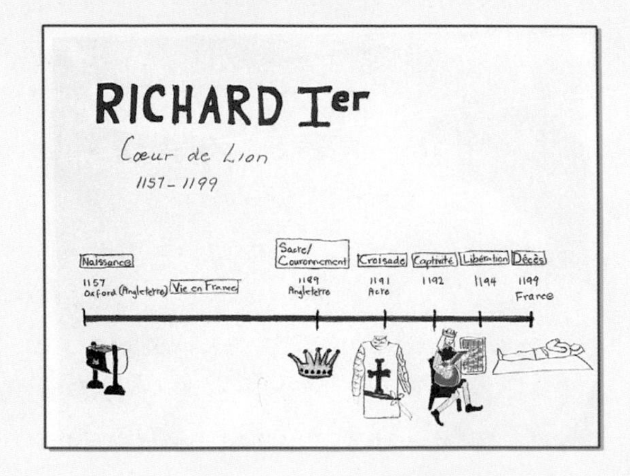

Faire ◆ Discuter ◆ Découvrir

1. Suis les étapes ci-dessus pour créer la ligne du temps de ta vie jusqu'ici.

Conséquences des croisades

Au temps des croisades, les chrétiens et les musulmans ont été en contact pendant plusieurs siècles. Ce contact a changé la vie de nombreuses façons en Europe et au Moyen-Orient. Il y a eu des milliers de victimes dans les deux camps. Les coûts financiers ont été considérables.

L'influence de l'islam – au temps des croisades et dans les années qui ont suivi – a provoqué de nombreux changements en Europe (voir le diagramme ci-dessous).

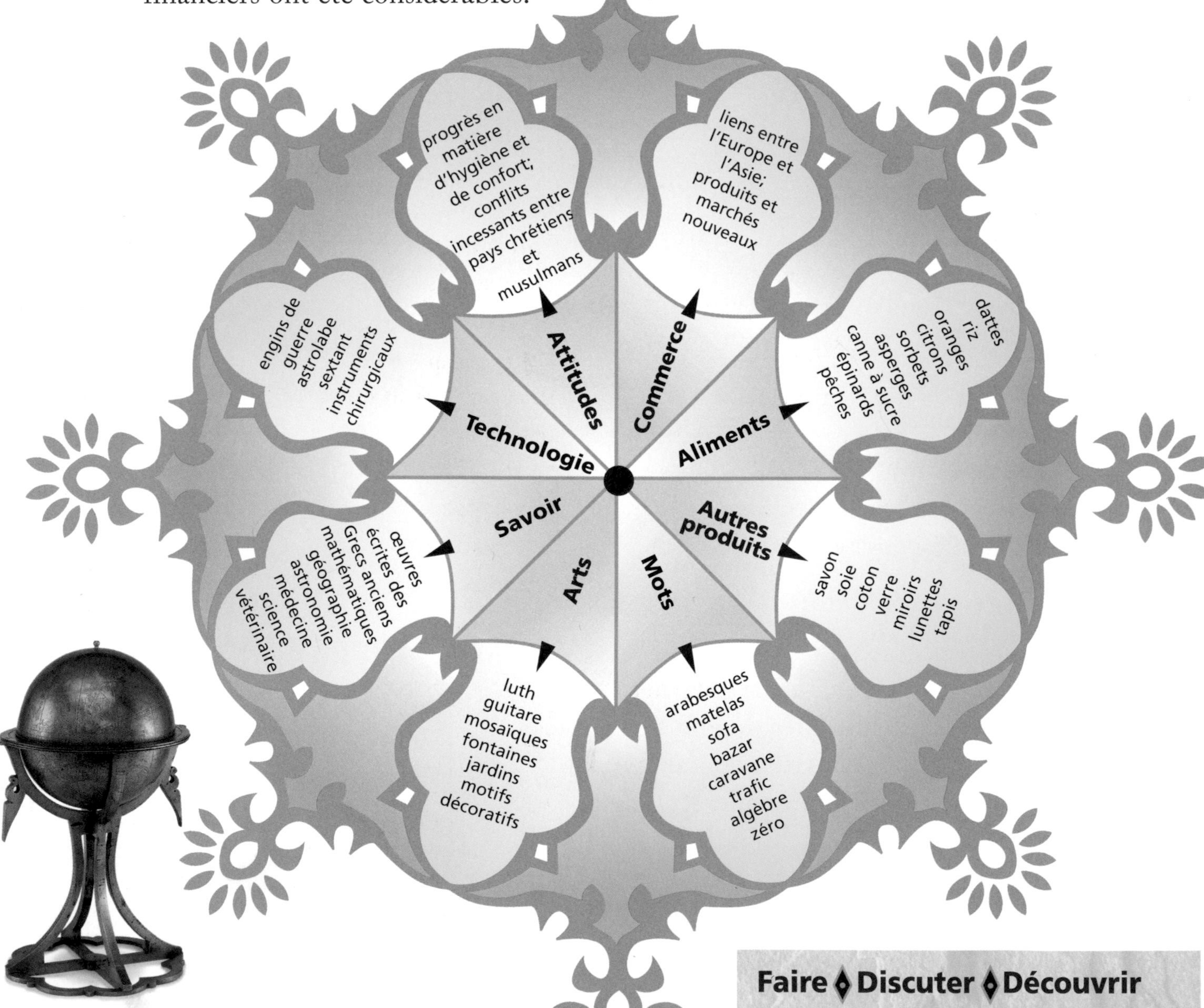

Les astronomes musulmans utilisaient des globes comme celui-ci pour représenter les étoiles.

Faire ◊ Discuter ◊ Découvrir

1. Dans le cadre d'une discussion de classe, examinez les conséquences des croisades. Créez un tableau pour relever les points importants dans vos cahiers.

J'utilise mes connaissances

Compréhension des concepts

1. Dans ton cahier, fais la liste des problèmes que les croisés devaient surmonter.
2. Recopie le diagramme ci-dessous dans ton cahier. Complète-le pour montrer les différents aspects de la vie islamique. Ajoute d'autres parties au diagramme, si nécessaire.

3. Relève les mots nouveaux du chapitre 9 dans la partie Vocabulaire de ton cahier. Ajoute des diagrammes ou des dessins pour mieux te souvenir des mots et des définitions.

Maîtrise des habiletés de recherche et de communication

4. À la bibliothèque ou sur Internet, fais une recherche sur différents styles de calligraphie. Choisis un style particulier pour écrire ton nom, le nom de ton animal de compagnie, d'un personnage ou héros préféré. Affiche ton travail.

Application des concepts et habiletés à différents contextes

5. Rédige une ballade sur les actions héroïques d'un croisé ou d'une croisée.
6. La technologie (les inventions et les idées nouvelles) d'un pays est souvent empruntée ou adoptée par d'autres pays. Nous adoptons aussi les termes qui servent à la décrire. Par exemple, le luth (l'instrument et son nom) est d'origine arabe. Consulte un dictionnaire ou Internet pour trouver trois autres exemples de mots français qui désignent une invention ou une idée nouvelle venue d'un autre pays (pas nécessairement au Moyen Âge).

Projet médiéval

1. Distribuez les tâches nécessaires pour la réalisation finale du projet : construction du plateau, fabrication ou collecte des divers matériaux et éléments de jeu; règles du jeu revues et corrigées.
2. Mettez-vous d'accord sur le design de la boîte ou de l'emballage de votre jeu.
3. Identifiez les points importants du chapitre 9 sur les croisades pour les inclure dans votre jeu sous la forme que vous avez choisie.

Chapitre 10
Les voyages et le commerce

Au temps des croisades, le nombre de voyageurs augmente. Des armées, des pèlerins et des marchands traversent l'Europe et naviguent le long des côtes. Ces voyages font circuler des idées et des produits nouveaux. Au XIVe siècle, les voyages vont favoriser la transmission d'une terrible maladie en Asie et en Europe. La société commence à évoluer plus rapidement.

À retenir!

Sujets traités au chapitre 10 :
- les voyages et le commerce
- les produits et les routes commerciales
- la maladie de la peste
- conséquences de la peste

Vocabulaire

messager	extrême-onction
peste	louer
bubonique	se révolter

Les voyages et le commerce

Au début du Moyen Âge, la plupart des gens voyagent à pied ou à cheval. Il y a peu de chemins pour les charrettes. On transporte donc les marchandises sur le dos des chevaux, des mulets et des ânes. On utilise aussi beaucoup les cours d'eau.

Peu à peu, on construit des routes. Quand il pleut, la terre se transforme en boue; les charrettes ne peuvent plus passer. Les villages sont chargés d'entretenir les routes voisines.

Les marchandises lourdes sont transportées par bateau. Des instruments nouveaux – la boussole et l'astrolabe – facilitent la navigation en mer. Mais il y a encore de nombreux dangers : les tempêtes, les fonds marins accidentés et les pirates.

Le soir, les voyageurs nobles s'arrêtaient dans des châteaux ou des manoirs. Les marchands dormaient dans des auberges; les pauvres cherchaient un monastère. Les plus pauvres passaient la nuit à l'extérieur.

Les marchands voyagent presque toute l'année. Ils achètent des marchandises à un endroit et les revendent à un autre. Ils vont de foire en foire pour acheter et vendre leurs produits.

Le commerce est une activité dangereuse. Il faut éviter les voleurs et les accidents. Parfois, les produits arrivent en mauvais état ou se gâtent avant d'être vendus.

Malgré les dangers, de nombreux marchands deviennent riches. Les produits importés (les épices d'Asie, par exemple) permettent de gagner beaucoup d'argent. Les produits essentiels tels que les métaux, les céréales et la laine se vendent bien aussi.

Notre système bancaire a commencé au Moyen Âge. Les marchands et les commerçants échangeaient des lettres où ils promettaient de payer ce qu'ils devaient. Cette pratique évitait de transporter des grosses sommes en pièces d'or et d'argent.

Les routes commerciales

Au Moyen Âge, malgré les dangers et les difficultés, plusieurs grandes routes commerciales desservent l'Europe et la relient à l'Asie.

Les Postes n'existent pas au Moyen Âge. Des **messagers** livrent les lettres importantes. Ou bien, il faut confier son courrier à des voyageurs.

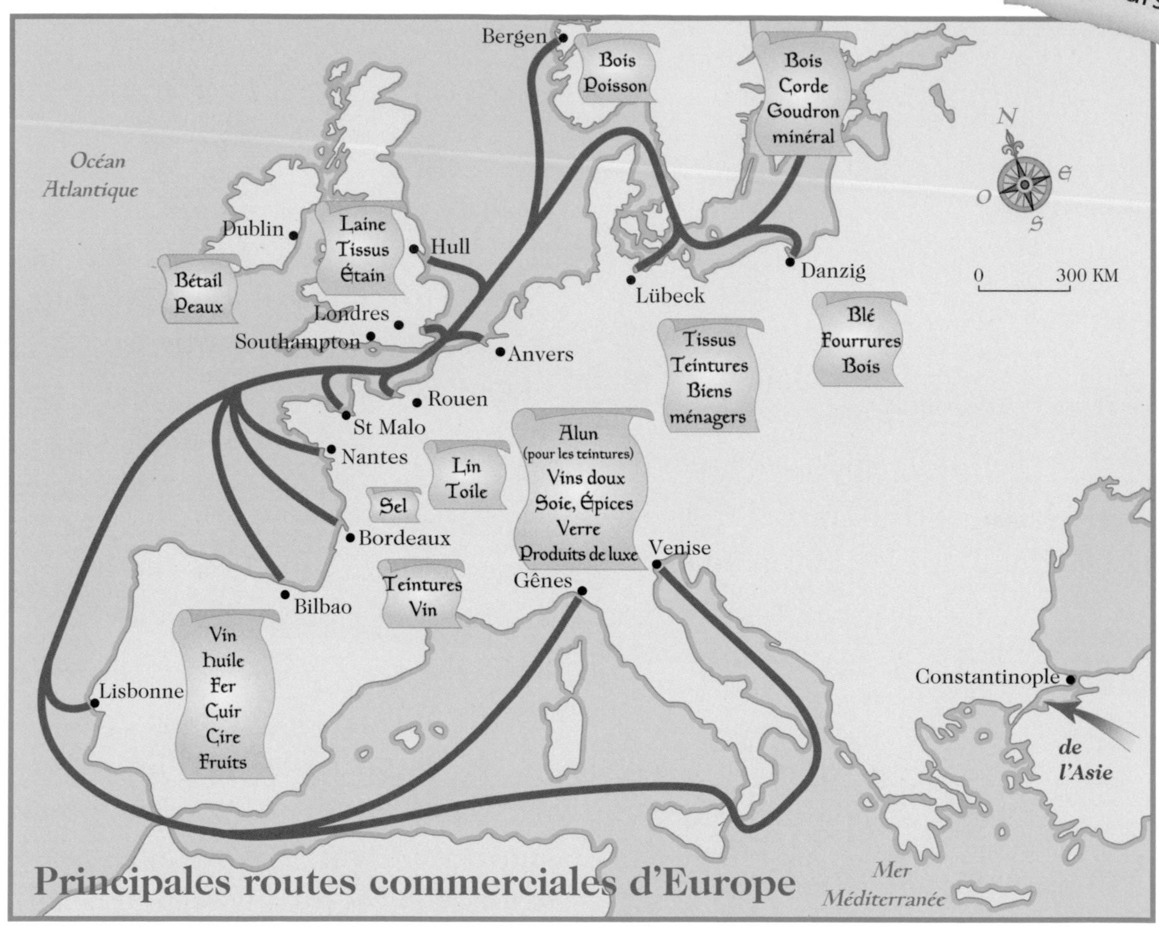

Principales routes commerciales d'Europe

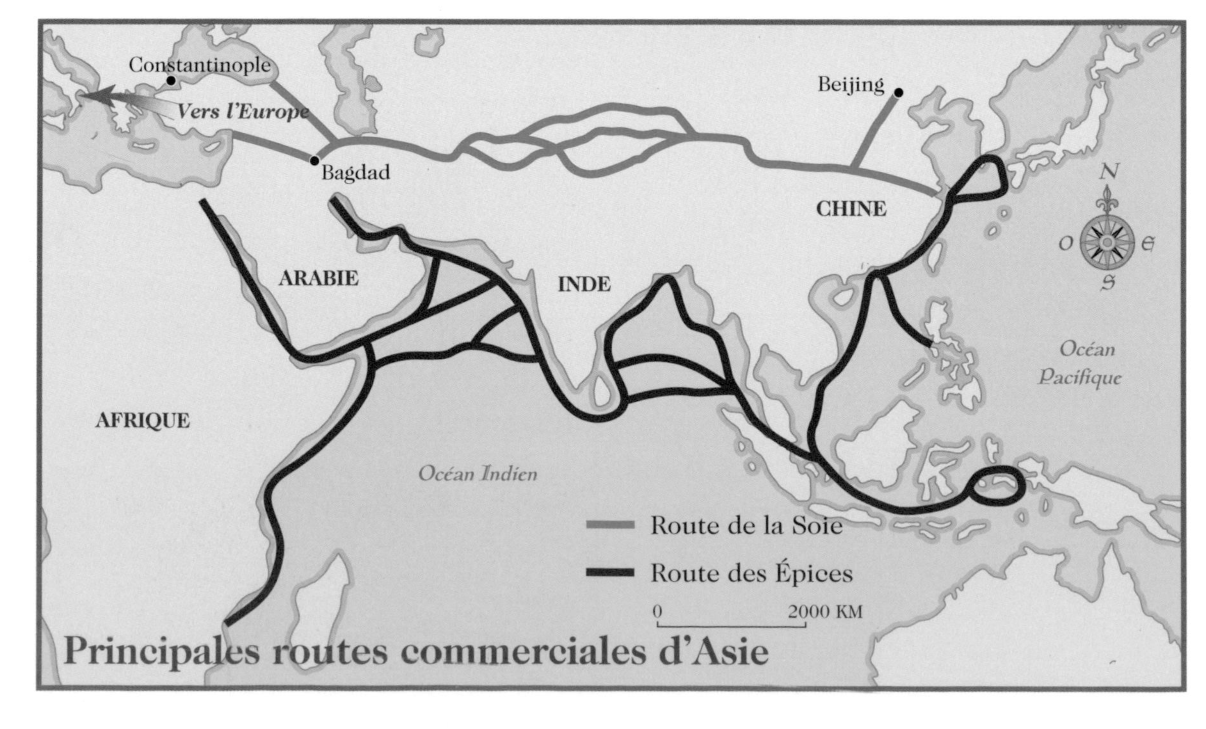

Principales routes commerciales d'Asie

Marco Polo

Marco Polo est né vers 1254 à Venise (Italie), dans une famille de grands marchands. À l'époque, on construit beaucoup de bateaux à Venise. Les riches marchands ont d'importantes flottes de navires. En Europe, presque tous les produits d'Asie et du Moyen-Orient passent par Venise et d'autres villes italiennes.

Bien avant les autres Européens, Marco Polo est allé en Chine avec ses deux oncles. Ils sont arrivés à Beijing en 1278. Le dirigeant de la Chine, Khan Qubilai, leur a permis de voyager dans tout le pays. Marco Polo a écrit un livre sur ses aventures. Il y décrit le gouvernement, le transport, les routes, les canaux, les villes et la technologie de la Chine.

Le commerce avec l'Asie

Au Moyen Âge, déjà, la route de la Soie est la route terrestre la plus célèbre. Elle traverse toute l'Asie sur des milliers de kilomètres. De Beijing à la Méditerranée, elle franchit des montagnes élevées et d'immenses déserts. Des caravanes de chameaux transportent des marchandises sur la route de la Soie.

Au Moyen Âge, le commerce avec la Chine se fait surtout par la mer. Les commerçants arabes contrôlent le prix des produits asiatiques. Les produits de l'Inde et de la Chine sont transportés jusqu'au Moyen-Orient. Puis, ils sont vendus aux Européens. Certains Européens veulent éviter les intermédiaires et traiter directement avec l'Asie. Pendant un certain temps, vers la fin du XIIIe siècle, la famille de Marco Polo et quelques marchands européens vont faire du commerce directement avec la Chine.

Faire ◆ Discuter ◆ Découvrir

1. Rédige ta propre légende (titre) pour l'une ou l'autre illustration de cette page. Partage-la avec un-e autre élève.

La peste

Au XIVe siècle, les marchands entendent parler d'une terrible maladie en Asie. On raconte qu'elle a peut-être tué la moitié de la population chinoise.

La **peste** est une maladie grave très contagieuse. Tous les ans, les épidémies de peste se rapprochent de l'Angleterre. La carte ci-dessous montre comment la peste s'est étendue en Europe.

La peste noire

Au XIVe siècle, il y a différents types de peste en Asie et en Europe. La peste noire est probablement une forme de la peste **bubonique**.

La peste bubonique est provoquée par une bactérie. Elle est transmise aux êtres humains par les puces de rats. Quand les puces quittent les rats infectés et piquent les gens, elles introduisent la bactérie de la peste dans le sang des personnes piquées.

La peste bubonique tire son nom des grosses bosses noires (appelées « bubons ») qui apparaissent sous les bras des personnes infectées, deux semaines environ après la piqûre. Les malades ont une forte fièvre et vomissent. La plupart meurent en moins d'une semaine.

En général, les épidémies de peste bubonique ralentissent ou s'arrêtent en hiver. Le froid tue les puces et les gens voyagent moins.

Une autre forme de peste, la peste pulmonaire, attaque les poumons des malades. Elle se communique dans l'air par la toux. Les gens meurent encore plus vite, en moins de 48 heures.

Certaines personnes ont échappé à la peste, bien qu'elles aient été exposées à la maladie. Un tout petit nombre de malades ont survécu.

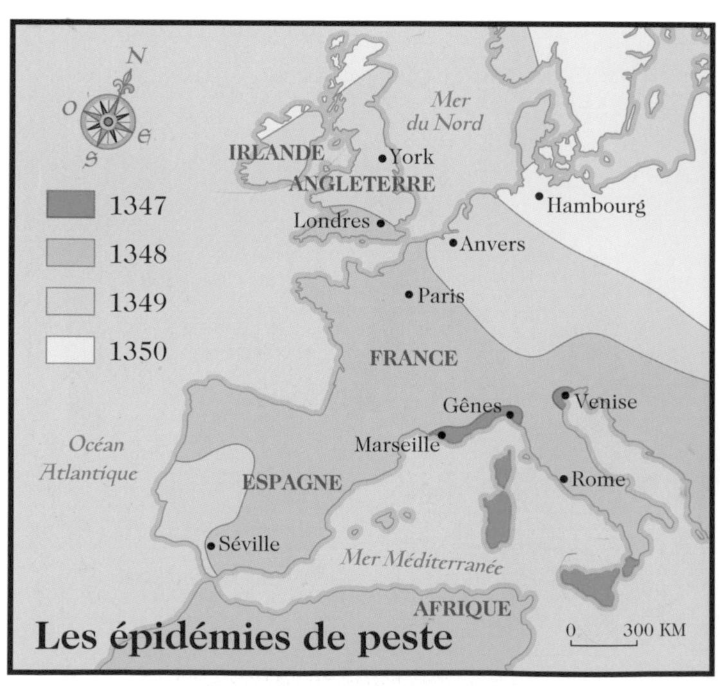

La peste s'est répandue à partir des ports et des villes situées sur la route de la Soie. Les voyageurs et les rats des navires transmettaient la maladie d'un endroit à l'autre.

La lutte contre la peste

Au Moyen Âge, les gens ne savent rien au sujet des microbes et des bactéries. Mais ils comprennent que certaines maladies sont contagieuses – qu'on peut attraper une maladie au contact d'une personne malade.

On pense que la maladie est causée par l'air sale ou les mauvaises odeurs. Quand ils soignent les malades, certains médecins portent des masques en forme de bec d'oiseau. Les gens respirent à travers des mouchoirs parfumés, des sachets d'épices ou de plantes aromatiques. En 1349, Édouard III ordonne au maire de Londres de faire nettoyer les rues sales. Il croit que la peste est transmise par les odeurs.

La peste est un mal terrifiant. Beaucoup de gens quittent les villes pour échapper à la maladie. Mais ils sont déjà infectés et contribuent à étendre l'épidémie.

Beaucoup de personnes courageuses s'occupent des malades de leur famille et de la communauté. Des prêtres prient et donnent l'**extrême-onction** aux mourants. Certains monastères et couvents accueillent les malades et nourrissent les orphelins. D'autres, y compris des membres du clergé, ont si peur qu'ils refusent d'aider les personnes dans le malheur. Un nombre élevé de personnes de toutes sortes attrapent la peste et meurent.

Au début, les morts sont enterrés normalement. Mais bien vite, il y a tant de malades et tant de morts qu'il faut les enterrer dans des fosses communes, sans aucune cérémonie.

Sur une population d'environ 100 000 habitants, 30 000 personnes sont mortes de la peste à Londres, en 1348 et 1349.

Faire ◊ Discuter ◊ Découvrir

1. Relis la page 100. Crée un tableau ou diagramme cause-effet sur la peste. Remplis-le et range-le dans ton cahier. Tu le compléteras à la page 131.

Un visiteur

Mathilde arrache les mauvaises herbes dans le jardin. Autour d'elle, les abeilles bourdonnent. Elle entend un bruit et lève la tête. Un jeune garçon couvert de poussière est à la porte et semble hésiter. « Bonjour, dit-il. Est-ce que la sœur de David Cotter, de Londres, vit ici? »

Sur son épaule, le garçon porte un baluchon. Une petite dague est accrochée à sa ceinture. Mathilde se redresse et l'observe. On se méfie des voyageurs. Le village n'est pas touché par la peste. Elle se demande qui est ce jeune homme qui connaît le nom de son oncle. « Qui es-tu, dit-elle à haute voix. Tu ne peux pas rester ici si tu viens d'un endroit où il y a la peste. »

La mère de Mathilde sort de la maison. « C'est Hugues, n'est-ce pas? » dit-elle avec inquiétude. Mais tu es seul. Est-ce qu'il est arrivé un malheur à David, à Magda et à tes frères? » Elle s'arrête avant d'arriver jusqu'à lui.

La voix du garçon est pleine de tristesse. « Ils sont tous morts de la peste, ma tante. Je ne savais pas quoi faire. J'ai pris la nourriture et l'argent que j'ai pu trouver. Et je suis parti. Je suis resté loin des villes et des villages. Je marche depuis neuf jours et je suis fatigué. Mais je ne suis pas malade. Ma tante, regardez! » Il enlève sa chemise et lève les bras, montrant son corps maigre.

La mère de Mathilde s'approche et l'examine attentivement. Aucun bubon noir. Elle pose la main sur son front. Le garçon est fatigué, mais il n'a pas de fièvre. « Oh, Hugues! » dit-elle, les larmes aux yeux. Elle se penche par-dessus la barrière et le serre dans ses bras. « Pardonne-moi. Mais j'ai si peur pour mes propres enfants. Viens mon pauvre garçon. Entre! »

Elle ouvre la porte du jardin toute grande et continue de parler. « Mathilde, viens saluer ton cousin et va chercher de l'eau du puits pour que ton cousin puisse se laver. Mais tu dois d'abord te reposer, Hugues.

« Après le repas du soir, tu nous diras ce que tu as vu. Je veux apprendre tout ce que tu sais. Si la maladie arrive ici, je devrai faire tout mon possible pour aider les gens. Quels sont les traitements des médecins? Sais-tu pourquoi tant de gens sont morts et pourquoi tu as survécu? Connais-tu des plantes qui pourraient nous aider? Et ne me parle surtout pas des saignées. Je ne pourrais pas faire ça… » Elle entraîne doucement le garçon à la maison.

Conséquences de la peste

En 1348 et 1349, la peste tue près d'un tiers de la population anglaise. On ne fait plus les récoltes; on ne s'occupe plus des animaux. Dans certains endroits, les gens n'ont pas de quoi manger.

Certains villages sont désertés : les survivants sont partis s'établir ailleurs. Dans certains manoirs, on manque de main-d'œuvre. Les champs sont transformés en pâturages.

Le commerce tourne au ralenti. Les villes ferment leurs portes pour éloigner les voyageurs. Les ports refusent d'accueillir les navires.

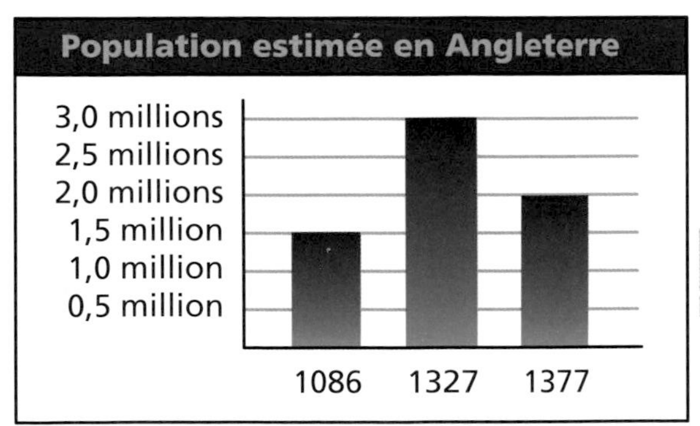

Travailleurs et salaires

La société médiévale avait déjà commencé à évoluer. La peste accélère les changements. Vers 1350, beaucoup de serfs et de villageois **louent** leurs champs et leurs maisons au lieu de donner des heures de travail au seigneur. De plus en plus, les manoirs paient les travailleurs (au lieu de leur fournir un toit et des terres en échange de leur travail). Beaucoup de villageois partent vivre en ville.

Après les épidémies de peste, on manque de travailleurs. Ils peuvent donc exiger un meilleur salaire. Au moment des moissons, le seigneur doit payer davantage. Mais les produits se vendent moins cher parce que le commerce est moins dynamique. Il y a moins de gens, la demande est donc moins forte. Certains seigneurs ne peuvent pas verser des salaires plus élevés.

Le roi exige que les ouvriers continuent à travailler au même salaire qu'avant. La proclamation royale est mal accueillie. En 1381, dans le sud et l'est de l'Angleterre, les paysans se **révoltent**. Mais ce mouvement est vite écrasé.

Faire ◊ Discuter ◊ Découvrir

1. Termine le diagramme cause-effet que tu as commencé à la page 129.

J'utilise mes connaissances

Compréhension des concepts

1. D'après ce que tu sais maintenant sur les conditions de vie à l'époque médiévale, explique rapidement dans ton cahier pourquoi la peste s'est répandue si vite et si facilement.
2. Trouve le tableau de prévisions que tu as créé à la page 4. Complète-le en remplissant la troisième colonne. Compare-la avec tes prévisions. Partage ce travail avec un-e autre élève.
3. Relève les mots nouveaux du chapitre 10 dans la partie Vocabulaire de ton cahier. Ajoute des diagrammes ou des dessins pour mieux te souvenir des mots et des définitions.

Maîtrise des habiletés de recherche et de communication

4. Imagine que tu vas faire une recherche sur la peste. Rédige quatre questions auxquelles tu aimerais trouver des réponses. (Note bien qu'on ne te demande pas de faire cette recherche.)
5. Imagine que tu es un marchand et que tu es venu à Londres pour vendre tes produits. Crée une affiche que tu placeras près de toi au marché.
6. Crée une ligne du temps illustrée pour représenter les événements du Moyen Âge.

Application des concepts et habiletés à différents contextes

7. En groupes, discutez du traitement et de la prévention des maladies contagieuses aujourd'hui. Comparez notre situation à celle du Moyen Âge.

Projet médiéval

1. Identifiez les points importants du chapitre 10 sur les voyages et le commerce pour les inclure dans votre jeu sous la forme que vous avez choisie.
2. Terminez votre jeu : le plateau, les autres éléments et l'emballage ou la boîte.
3. Bientôt, vous allez présenter votre jeu à la classe et participer à un tournoi de jeux. En tant que groupe, déterminez la meilleure façon de présenter votre jeu. Choisissez des rôles pour cette présentation.

Conclusion

Caractéristiques de la vie au Moyen Âge

Faire ◊ Discuter ◊ Découvrir

1. Revois l'introduction et l'illustration des pages 2 et 3 du manuel. Formez des groupes de 3 élèves pour en discuter. Puis, résumez les caractéristiques principales de la vie médiévale – sous forme de diagramme en toile d'araignée, si vous le souhaitez.

Projet médiéval

Maintenant, tous les groupes vont partager leurs jeux. Cette activité se déroulera en deux parties :

- présentation des jeux
- tournoi de jeux.

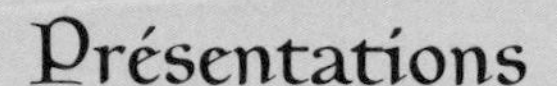

Présentations

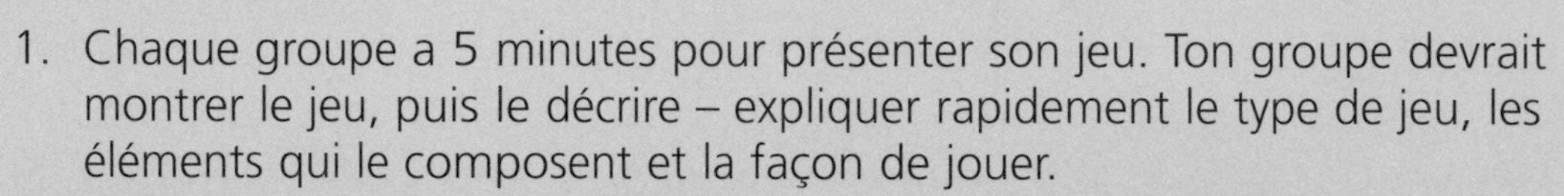

1. Chaque groupe a 5 minutes pour présenter son jeu. Ton groupe devrait montrer le jeu, puis le décrire – expliquer rapidement le type de jeu, les éléments qui le composent et la façon de jouer.
2. Expliquez les problèmes que votre groupe a surmontés dans la conception et la mise au point du jeu, et ce que vous avez appris pendant ce projet.

Tournoi de jeux

1. Votre enseignant-e établira l'heure et le lieu où les groupes joueront aux jeux créés par les autres élèves.
2. Ensuite, toute la classe discutera des différents jeux. Quels éléments des autres jeux aimez-vous particulièrement? Quels éléments de votre propre jeu préférez-vous?

Glossaire

A

abbaye *(f)* : lieu, bâtiment où vit une communauté religieuse de moines ou de religieuses. ABBEY

aliments *(m)* **de base** : produits que les gens mangent tous les jours. STAPLE FOODS

allégeance *(f)* : obligation de fidélité et d'obéissance à un souverain ou à un pays. ALLEGIANCE

alliance *(f)* : accord entre des groupes (partis ou pays) qui veulent protéger leurs intérêts. ALLIANCE

apothicaire *(m)* : nom du pharmacien au Moyen Âge. APOTHECARY

apprenti *(m)* : personne jeune qui apprend un métier en travaillant chez un artisan ou un commerçant. APPRENTICE

arc-boutant *(m)* : construction en forme d'arc qui soutient de l'extérieur une voûte, un mur. BUTTRESS

astrolabe *(m)* : instrument de navigation qui permettait aux marins de connaître leur position par rapport aux étoiles. ASTROLABE

astronomie *(f)* : étude des astres et de l'univers. ASTRONOMY

aumône *(f)* : argent, aliments, vêtements ou chaussures donnés aux pauvres. ALM

autosuffisant : qui peut répondre à ses besoins essentiels (nourriture, abri, vêtements) sans aide extérieure. SELF-SUFFICIENT

B

bailli *(m)* : officier, représentant d'un seigneur qui surveille le travail des serfs, l'administration du village et qui fait appliquer les ordres du seigneur. BAILIFF

braconnier *(m)* : personne qui chasse ou pêche illégalement. POACHER

bubonique : *Voir* peste bubonique.

C

calligraphie *(f)* : art d'écrire, de tracer les lettres et de les orner. CALLIGRAPHY

carder : peigner, démêler les fibres de laine avant de les filer. CARD, TO

cathédrale *(f)* : grande église qui dépend d'un évêque. CATHEDRAL

centenaire : qui a au moins cent ans. HUNDRED(S) OF YEARS OLD

champs *(m)* **ouverts** : méthode qui consiste à séparer les parcelles de terre par un simple sillon ou chemin (et non par des clôtures ou des haies). OPEN FIELD (SYSTEM)

chapelle *(f)* : petite église ou partie d'une église où il y a un autel. CHAPEL

charte *(f)* : document signé par le roi et qui rend une ville indépendante d'un seigneur au Moyen Âge. CHARTER

chaumière *(f)* : petite maison couverte d'un toit de chaume. THATCHED COTTAGE

chevalerie *(f)* : 1) classe de guerriers nobles au Moyen Âge; 2) qualités des chevaliers (foi religieuse, courage, loyauté, courtoisie, protection des femmes, etc.) CHIVALRY

chevalier *(m)* : noble qui combat à cheval au Moyen Âge. KNIGHT

communaux *(m)* : lieux communs où les habitants du village font paître le bétail au Moyen Âge. (Le seigneur n'y a pas accès.) COMMONS

compagnon *(m)* : ouvrier qui n'est plus apprenti et qui n'est pas encore maître dans une guilde ou corporation au Moyen Âge. JOURNEYMAN

conseil *(m)* **de ville** : réunion ou groupe de gens qui discutent et donnent leurs avis sur la gestion ou les affaires de la ville. TOWN COUNCIL

consensus *(m)* : façon de prendre des décisions – qui doivent être acceptées par tout le monde pour être adoptées. CONSENSUS

contagieux : qui peut communiquer sa maladie. CONTAGIOUS

Coran *(m) [en arabe, Qur'an]* : livre sacré des musulmans, parole d'Allah transmise à Mahomet par l'archange Gabriel. QUR'AN (KORAN)

cotte *(f)* **de mailles** : vêtement porté par les soldats au Moyen Âge; armure souple, en forme de tunique, faite de fils de métal. CHAIN MAIL

cour *(f) [royale]* : 1) résidence d'un roi; 2) ensemble des personnes qui l'aident à gouverner et (ou) qui vivent près de lui. ROYAL COURT

couronnement *(m)* : cérémonie durant laquelle un roi ou une reine reçoit une couronne et son titre de souverain. CORONATION

courtine *(f)* : mur d'un rempart – entre deux tours d'un château fort. CURTAIN WALL

courtisan *(m)*; **courtisane** *(f)* : personne noble qui fait partie de la cour d'un seigneur, d'un souverain (ambassadeur, dame de compagnie, chevalier, par ex.). COURTIER

couvre-feu *(m)* : au Moyen Âge, interdiction de sortir après une certaine heure, après la fermeture des portes de la ville pour la nuit. CURFEW

croisade *(f)* : au Moyen Âge, expédition militaire menée par les chrétiens contre les musulmans pour délivrer et conquérir la Terre Sainte. Au pluriel, série de huit croisades qui ont eu lieu de 1095 à 1291. CRUSADES

D

dame *ou* **demoiselle** *(f)* **de compagnie** : femme qui est au service d'une noble dame, d'une princesse ou d'une reine. LADY-IN-WAITING

dîme *(f)* : impôt sur les récoltes que les paysans payaient autrefois à l'Église (10 p. 100 des récoltes, en général). TITHE

Domesday Book *[Livre du Jugement dernier]* : grand livre où les enquêteurs de Guillaume le Conquérant ont fait la liste détaillée des terres et des biens du royaume, au début de l'époque normande en Angleterre. DOMESDAY BOOK

donjon *(m)* : la tour la plus haute d'un château fort. Le donjon est la demeure du seigneur et le dernier refuge des assiégés au Moyen Âge. KEEP

douve *(f)* : fossé rempli d'eau qui entoure un château fort pour servir de défense. MOAT

E

échiquier *(m)* : système de vérification des taxes recueillies pour le trésorier du roi. Au Moyen Âge, l'échiquier est un carré divisé en colonnes et en cases, qui permet de compter l'argent. EXCHEQUER

écuyer *(m)* : jeune noble qui est au service d'un chevalier au Moyen Âge et qui se prépare lui-même à devenir chevalier. SQUIRE

enluminure *(f)* : lettre majuscule peinte ou petit dessin qui orne un manuscrit ancien. ILLUMINATION

époque *(f)* **médiévale** : époque associée au Moyen Âge (de 476 à 1492). MEDIEVAL TIMES

extrême-onction *(f)* : sacrement qu'un prêtre catholique donne à une personne qui est sur le point de mourir (on dit aujourd'hui : « sacrement des malades »). LAST RITES

F

façade *(f)* : côté de la maison qui donne sur la rue et où se trouve l'entrée. HOUSE FRONT

fantassin *(m)* : soldat qui combat à pied. FOOT-SOLDIER

foire *(f)* : grand marché qui a lieu à date fixe, au même endroit dans un village ou une ville. FAIR

forge *(f)* : atelier où on travaille les métaux chauffés – avec un marteau sur une enclume. FORGE

foyer *(m)* : lieu où on fait le feu dans une pièce de la maison. FIRE PIT

G

garde-robe *(f)* : au Moyen Âge, 1) petite pièce où on range les vêtements; 2) lieu où était la chaise percée (un siège utilisé pour faire ses besoins naturels). WARDROBE (1), GARDEROBE (2)

gothique *(art ou style)* : forme d'architecture qui s'est répandue en Europe à partir du XIIe siècle, après l'art roman – piliers hauts et fins, murs légers, grands vitraux. GOTHIC

Grande Charte *(f)* : du latin Magna Carta : document signé en 1215 par Jean sans Terre, suite à la révolte des barons. Ce document est à la base du droit anglais, qui oblige les souverains à consulter leurs sujets. MAGNA CARTA

grande salle *(f)* : vaste pièce de réception dans un manoir. GREAT HALL

gué *(m)* : endroit d'un cours d'eau peu profond, que l'on peut traverser à pied. FORD

guilde *(f)* : association de marchands ou d'artisans groupés pour réglementer leur profession et défendre leurs intérêts au Moyen Âge. GUILD

H

héraldique *(f)* : étude des armoiries – l'ensemble de signes, peint sur le bouclier (écu), qui symbolise une famille ou une communauté. HERALDRY

héréditaire : qui se transmet des parents aux enfants. HEREDITARY

hériter : devenir propriétaire par héritage, c.-à-d. en recevant les biens transmis par une personne qui vient de mourir. INHERIT, TO

héritier *(m)*; **héritière** *(f)* : personne qui doit recevoir ou qui reçoit des biens en héritage. HEIR

herse *(f)* : lourde grille munie de grosses pointes orientées vers le bas, suspendue à l'entrée d'un château fort. PORTCULLIS

hospice *(m)* : au Moyen Âge, maison où des religieuses ou religieux accueillent les voyageurs – surtout les pèlerins – et soignent aussi les malades; ensuite, l'hospice devient un hôpital. HOSPICE

hygiène *(f)* : ensemble des habitudes de tous les jours et des soins qui permettent d'assurer la propreté et la santé. HYGIENE, SANITATION

I

infraction *(f)* : faute; acte contraire à la loi ou aux règlements. OFFENCE

J

jachère *(f)* : état d'une terre qu'on ne cultive pas pendant un certain temps pour la laisser reposer. FALLOW

joute *(f)* : combat à la lance entre deux hommes à cheval au Moyen Âge. JOUSTING

L

latrines *(f)* : endroit où on fait ses besoins naturels; toilettes. LATRINES

lin *(m)* : 1) plante à fleurs bleues dont on utilise la fibre pour faire de la toile et la graine pour faire de l'huile. 2) toile de lin. LINEN

louer : payer pour pouvoir utiliser quelque chose (une maison, une machine, par exemple). RENT, TO

M

maçon *(m)* : ouvrier qui construit avec des pierres. STONEMASON

manoir *(m)* : dans l'Angleterre médiévale, 1) petit château du seigneur à la campagne; 2) seigneurie (ensemble des terres et maison du seigneur). MANOR

messager *(m)*; **messagère** *(f)* : personne qui porte un message ou le transmet. COURIER

minaret *(m)* : haute tour d'une mosquée qui sert à faire les cinq appels à la prière quotidienne. MINARET

mosaïque *(f)* : décoration composée de petits morceaux de pierre ou de céramique de couleurs différentes qui forment un dessin. TILING, MOSAIC

mosquée *(f)* : bâtiment où les musulmans vont prier. MOSQUE

motte et basse-cour (château à) : type de château. Les premiers châteaux forts étaient construits sur une petite colline artificielle (la motte) avec, au pied, un endroit clôturé qui servait à protéger les villageois (la basse-cour). MOTTE AND BAILEY

Moyen Âge *(m)* : période historique qui débute à la chute de l'Empire romain en 476 et qui se termine avec la découverte de l'existence du Nouveau Monde en 1492. MIDDLE AGES

musulman *(m)*; **musulmane** *(f)* : personne qui pratique la religion musulmane, c.-à-d. l'islam. MUSLIM

N

noble *(f, m)* : personne qui appartenait autrefois à la noblesse : la plus haute classe de la société. NOBLE

P

page *(m)* : jeune garçon noble au service d'un roi, d'un prince, d'un seigneur, d'une grande dame. On lui enseignait l'escrime et l'équitation pour qu'il devienne écuyer, puis chevalier. PAGE

parchemin *(m)* : document écrit sur parchemin, c.-à-d. sur une peau de mouton ou de chèvre spécialement préparée pour l'écriture. PARCHMENT

pâturage *(m)* : pré où le bétail broute de l'herbe. PASTURE

pèlerin *(m)* : personne qui fait un pèlerinage (pour aller prier dans un lieu saint). PILGRIM

pénitence *(f)* : punition imposée à la personne qui a confessé ses péchés et qui a promis de ne plus recommencer. PENANCE

personne *(f)* **libre** : personne qui est payée pour son travail et qui verse un loyer pour occuper sa maison. FREEMAN, FREEWOMAN

peste *(f)* **bubonique** : maladie contagieuse très grave, et souvent mortelle, qui se transmettait du rat à l'être humain par la piqûre des puces. BUBONIC PLAGUE

pétition *(f)* : demande écrite adressée à une personne importante et signée par plusieurs personnes. PETITION

pilori *(m)* : sorte de planche de bois dans laquelle on passait la tête et les mains; poteau auquel on attachait les criminels sur la place publique. STOCKS

pont-levis *(m)* : pont qui peut se lever ou s'abaisser au-dessus du fossé d'un château fort. DRAWBRIDGE

poteau *(m)* : longue pièce de bois, plantée verticalement dans le sol. POLE, UPRIGHT

proclamation *(f)* : message public important, annoncé par un crieur public ou une personne importante. PROCLAMATION

Q

quenouille *(f)* : petit bâton entouré de fibres de laine ou de coton que les femmes filaient autrefois en les déroulant sur le fuseau. DISTAFF

R

rançon *(f)* : prix exigé en échange de la liberté d'un prisonnier ou d'une personne prise en otage. RANSOM

régent *(m)*; **régente** *(f)* : personne qui gouverne un pays à la place d'un souverain qui est trop jeune pour régner ou qui est absent. REGENT

régisseur *(m)* : le principal représentant du seigneur, l'officier qui gère les affaires du manoir. STEWARD

relique *(f)* : morceau du corps d'un saint ou objet ayant appartenu à un saint ou au Christ, auquel on rend un culte. RELIC

révolter, se : se soulever contre ceux qui gouvernent; refuser d'obéir pour provoquer un changement. REVOLT, TO

Robin des Bois : héros légendaire du Moyen Âge inspiré d'un personnage historique anglais. ROBIN HOOD

roman *(art ou style)* : art du Moyen Âge en Europe, avant l'art gothique – colonnes et piliers épais, murs massifs, édifices sombres. ROMANESQUE

rouet *(m)* : instrument constitué d'une roue et d'une pédale, qui servait autrefois à filer la laine, le chanvre et le lin. SPINNING WHEEL

S

salle *ou* **chambre** *(f)* **haute** : au sein du donjon, logement réservé au seigneur, à sa famille et à ses domestiques. SOLAR

serf *(m)* : au Moyen Âge, paysan qui dépend entièrement d'un seigneur; qui travaille les terres du seigneur pour avoir un toit et le droit de produire de quoi se nourrir. SERF

siège *(m)* : opération militaire qui consiste à encercler une ville ou un château – à empêcher son approvisionnement en eau et en nourriture – pour forcer les gens à se rendre. SIEGE

société *(f)* : ensemble de gens vivant dans un pays (une collectivité ou communauté) à un moment donné et devant respecter les mêmes lois. SOCIETY

sous-bailli *(m)* : villageois qui organise le travail du village et qui supervise les serfs. REEVE

souverain *(m)*; **souveraine** *(f)* : chef d'un royaume ou d'un empire. SOVEREIGN

T

Terre *(f)* **Sainte** : région, ensemble des lieux où le Christ a vécu, d'après la Bible. HOLY LAND

tisserand *(m)*; **tisserande** *(f)* : personne qui fabrique des tissus sur un métier à tisser. WEAVER

toit *(m)* **de chaume** : toit recouvert de paille longue (sans grain). THATCHED ROOF

torchis *(m)* **sur clayonnage** *(m)* : technique de construction – mélange de terre et de paille (torchis) qu'on applique sur des petites branches tressées (clayonnage). WATTLE AND DAUB

V

vassal *(m) (le vassal, les vassaux)* : au Moyen Âge, personne liée à un seigneur par un serment de fidélité. VASSAL

Index